独立日本

依田武勝

巻頭のことば

戦後七四年……あの激烈を極めた太平洋戦争で戦った日本兵は、私を含め今や絶滅寸前である。先に逝った戦友たちは極楽浄土で今頃何をしているだろうか。

関東大震災の五か月前、大正一二年四月生れの私は今年（令和元年）で九六歳となった。かつて海軍兵士として国防に身を捧げた弟は現在九四歳である。

「お元気ですね」と人からは言われるが、青春も謳歌出来ずに死んで行った戦友たちのことを思えば素直には喜べない。いまさら空しい願いではあるが、同期の桜たちも嫁を娶《めと》り、仕事や子育てに励み、学問や趣味を楽しんで頂きたかった。

満州事変、支那事変（日中戦争）、太平洋戦争等で命を落とした日本人は実に三二〇万人、傷病者は一千万人。戦争末期にはアメリカによって空襲され、挙句の果てには人類初の原子爆弾まで落とされた。投下直後は二四万人、後遺症による死者も含めると実に五〇万人以上の民間人が虐殺された。

「すべては日本人が悪い。天罰だ」などと思い込んでいる日本人も多いが、戦後の洗脳教育の恐ろしさはここにある。

当時我々はお国のために命懸けで戦った。中には「なんで戦地に行ったの？」「殺し合いなんて良くないよ、人権無視だよ」「お互いに話し合えば良かったのに」とおっしゃる方もいる。だがそれは、平和な時代に生まれ、安全な場所に身を置いているからこそ言える言葉である。

考えてみて頂きたい。良くも悪くも我々は「世界規模の戦国時代」に生まれた世代なのだ。西欧列強の数百年にも亘るアジア侵略から国を守り、国民を貧困から救うために領土を広げ、資源を確保し、国力を増す。そのために当時の若者が立ち上がるのは当たり前のことだった。「戦場に行きたくない」などと言える時代ではなかったし、行くからには立派に戦いたいと、多くの男たちは覚悟したのである。

だが残念ながら、日本はアメリカから禁断の原子爆弾を落とされて万事休すとなった。民間人大量虐殺が国際法に違反していることは明らかだ。昭和三〇年に原爆被害者が国に提訴した時も、東京地方裁判所は「国際法違反」の判決を下している。つまり、あの原爆投下は戦争でもなんでもない。早い話が「憎き日本人を皆殺しにせよ！」という民族殲滅を実行に移した大虐殺事件なのである。

今でもアメリカ人の中には、原爆投下が戦争を終息させたと考える人々が多い。戦後の歴代大統領らもその様な歴史教育を受けたのだろう。よって、オバマ前大統領が広島を訪れた時も謝罪の言葉は一切なかった。

日米が最高のパートナーと言うのなら、お互いに過去を反省し、謝り合い、許し合うことが可能なはずである。両国がその域に達してはじめて「真に対等な友好国」になるわけだが、現実は「対等な関係」とはほど遠い。


国連は第二次世界大戦における戦勝国が主な常任理事国だ。そこには戦時中、欧米側にシッポを振った中国の姿もある。日本は今でも敗戦国の烙印を押されたままであり、しかも「敵国条項」に該当するため、事を起こした場合は総攻撃を受けても文句を言えない立場にある。さらには米国の属国状態からも脱していない。

また、スパイや反日的な人々も年々増加していると私は見ている。ここをしっかり認識せず「日本は平和です」などと喜んでいれば、近い将来日本は滅亡してしまう。それに、中国による日本植民地化計画は、移民をはじめ土地、水源の爆買いなど着実に実行されていることを知るべきだ。もしかしたらあなたの近所の土地も、今頃は中国のものになっているかもしれない。

近年、満州事変、支那事変（日中戦争）、太平洋戦争などにおける真実が次第に明らかになってきている。書物を読んだり、あるいは自分が戦場で体験したことを検証する中でたどり着いた結論、それは「やってはならない戦争だった」ということである。特に、蒋介石と戦う必要など全くなかった。

ロシア革命以降、世界を共産主義一色に染めるべく暗躍したコミンテルンの存在はご承知の通りである。経済的に困窮した状況を見計らって言葉巧みにすり寄る周到さ。日本の農山村のみならず政府や軍部の中枢にまで入り込み、時の首相まで操ってしまった。殊にゾルゲ事件は有名だが、当時から日本人は「共産主義思想」に対する認識や警戒心が希薄だったのだろう。

また世界に目を向けると、白人を中心とする欧米列強はアジア、アフリカへの侵略と植民地化によって繁栄していった。アメリカ人の侵略によるインディアンの悲惨な末路や、米国への従属を余儀なくされたハワイ王朝の歴史が示す通り、当時は弱肉強食や人種差別が当たり前。まさに「世界規模の戦国時代」であり、戦争で儲ける闇の武器商人や悪辣《あくらつ》な国際金融資本家なども世界中で暗躍していた。

そして当然ながら「黄金の国ジパング」も狙われたのである。

ところが日本は、最後まで植民地や属国になることに抵抗した。その自主独立の武士道的精神は弱者救済の精神とも重なる。

例えば、日本と親交の深かったハワイ王朝が米国に併合されそうになった時、東郷平八郎率いる艦隊（浪速《なにわ》）が王朝を守るためにハワイに向かっている。まだ国力が不足していたために救うことは出来なかったが、当時の日本人は貪欲さもあったが正義感も強かった。そして、独立国家としての日本を守るために欧米列強の中に割って入り、台頭していったのである。

鎖国を解き、大政奉還を経て明治維新を果たした日本。それからわずか二〜三〇年で欧米列強と肩を並べるようになった日本。その恐るべき気迫、能力、実行力を脅威に感じ、裏で手を組む欧米諸国。そこに、共産主義で世界制覇を狙うコミンテルンらの策謀も複雑に絡み、日本は様々なかたちで追い詰められていった。

多くの西洋人の目には「憎き黄色いサル」として映っていたに違いない。実際、明号《めいごう》作戦でフランス人の兵士らと銃剣を持ってサシで勝負した時にもそれを感じた。

したがって、民族や肌の色に対する差別意識を持つ白人も少なくないという現実をしっかりと嗅ぎ取り、併せてコミンテルンらの謀略を察知し、先手を打つ。そういった危機管理能力が当時の日本政府や軍部の中にあれば、あそこまで戦争に巻き込まれることはなかった。よしんば戦争になったとしても、犠牲者を大幅に減らすことは出来たはずだ。もちろん今さら言っても仕方ないことだが、この教訓は今後の政治に活かさなければならない。

そして忘れてはならないのは、日露戦争以降の日本の奮闘によりアジア、アフリカの人々が解放され、多くの国々が独立を果たすことが出来たということである。

もちろん戦争であるからには日本側による残虐行為がなかったとは言わない。だが、欧米列強やソ連、中国等におけるおぞましい民間人殺戮の歴史を鑑みる中で、これは日本だけが責められることでは断じてない。身に覚えのあるすべての国において検証され猛省されるべきテーマである。したがって、「私たちは戦勝国だ」などと偉ぶる資格など、どの国にも存在しない。

今から五〇年以上前になるが、私は四〇代の頃、長期間に亘って世界各国を視察した。その中で、「あなたのような勇敢な日本兵たちのお陰で私たちの今があります」と感謝されたことが幾度かあった。そういった国々は日本に対する恩義を忘れず、後世にもその事実を正しく伝えている。その結果、親日的な人々が数多く育ち、人的交流や経済交流の好循環が実現できているのである。

反省という点においては、昭和天皇や歴代の首相らは様々なかたちで謝罪を行っている。日韓問題においても、一九六五年（昭和四〇）には日韓請求権協定も締結し、経済支援等も含め莫大な補償金が韓国側に支払われている。

その後、慰安婦問題なるものが韓国側から持ち上がる。しかもそこに油を注いで炎上させたのが、吉田清治という日本人であった。私よりも十歳ほど年上の元日本兵らしいが、「日本軍による強制連行はあった」と証言し、本も著した。それを朝日新聞などが長年に亘り拡散したのである。勢いづいた韓国側は日本に謝罪と賠償を求め、時の首相らが謝罪した。

ところが平成七年になって、吉田本人が「あれは創作でした」と認め、平成二六年には朝日新聞も謝罪し、記事を取り消した。吉田も敗戦後の生活が苦しかったようだが、国を売り、日本兵士らの顔に泥を塗ったことは許し難い。武士道精神に照らせば、伏して全国民にお詫びすべき国賊行為である。

だが、そんな捏造に近い話にもかかわらず、韓国側は賠償を執拗に要求。米国からも「いいから払っておけ！」と促される中で二〇一五年に慰安婦問題日韓合意がなされた。そしてこの時、慰安婦の何たるかも知らない戦後生まれの日本側要人らは、なんら抗弁することなく、血税から捻出した一〇億円という大金を支払っている。

ところが韓国側はその後、日本政府の出資で設立した慰安婦支援事業団体「和解・癒し財団」をなんと解散してしまう。「残念でした、振り出しに戻りましたよ」というわけだ。

その他にも、徴用工判決やレーダー照射事件、あるいは議長の天皇に対する暴言など次々と挑発してくる韓国。これらによって今まで韓国人を信じ、擁護してきた親韓派の人々までをも怒らせることになってしまった。

確かに、日韓併合については韓国にとっては辛く、悲しく、屈辱的なこともあった。しかしながら日本から受けた計り知れない恩恵も動かしようのない事実であり、そこは国を上げて認めるべきだと思う。日本が手を差し伸べなければロシアや中国の属国になっていた可能性も大きく、そういう大局的な見地に立って子供たちを教育しなければ、韓国そのものが滅びてしまう。反日教育などをやっているどころの騒ぎではない。

日本は韓国に対して「国際法や約束事を守ってください」と当たり前の事を言っているだけ。最大の問題は、韓国の文在寅《ムンジェイン》大統領が支持率を上げるため、そして南北統一の理想を実現させるために火種を故意に巻き散らしていることにある。

だが、日韓の正しい歴史を理解している親日派の韓国人も大勢いる。また、日本国内においても、日本人として頑張っている朝鮮出身者も大勢いる。そういった人々は長い年月をかけて築き上げた日韓両国の絆を破壊する文大統領に対しては怒り心頭であろう。

日本には武士道精神があるので「約束は守るべし」という考え方が強い。それが、国際社会においても信用に繋がっている。ところが文在寅政権は、恨みや怨念を抱きながら自分たちの正当性ばかりを訴え、しかも約束は守らない。これではどの国からも相手にされないのは当たり前のことである。文大統領には、一日も早く自分の過ちに気付いて頂きたいと切に願う。

国造りというものは、願わくば徳が高く、信念の強い人が国のトップに立って頂きたい。つまり我が国でいえば、武士道や大和魂を体現できる人である。武士道や大和魂などと言うと勇ましさだけが際立つが、実は「反省する力」、「謝る力」、「許す力」、「相手を盛り立てる力」といった要素も含まれている。日本人はこの部分が強すぎるのが欠点とも言えるが、この武士道と大和魂（大和ごころ）は世界の人々に啓蒙すべき「平和思想」だと思っている。

いずれ私も、あの世で家族、親族、恩師、近所の皆さん、そして戦友たちと再会することだろう。その時に「洗脳されていた日本人の目を覚まして参りました！」と胸を張って報告がしたい。

私は元来、右翼でもなく左翼でもなく「中庸」を愛する人間である。争いごとも嫌いだ。だが不幸にも、我々の世代は「戦争の世紀」に生まれてしまった。本当に運が悪いとしか言えない。だからこそ私は、犠牲者の御霊《みたま》を鎮めるために、本書を書き上げたのである。この切なる思い、お汲み取り願えれば幸甚の至りである。

令和元年（二〇一九）五月吉日　九六歳

依田武勝

皇居二重橋

君が代

林　広守 作曲

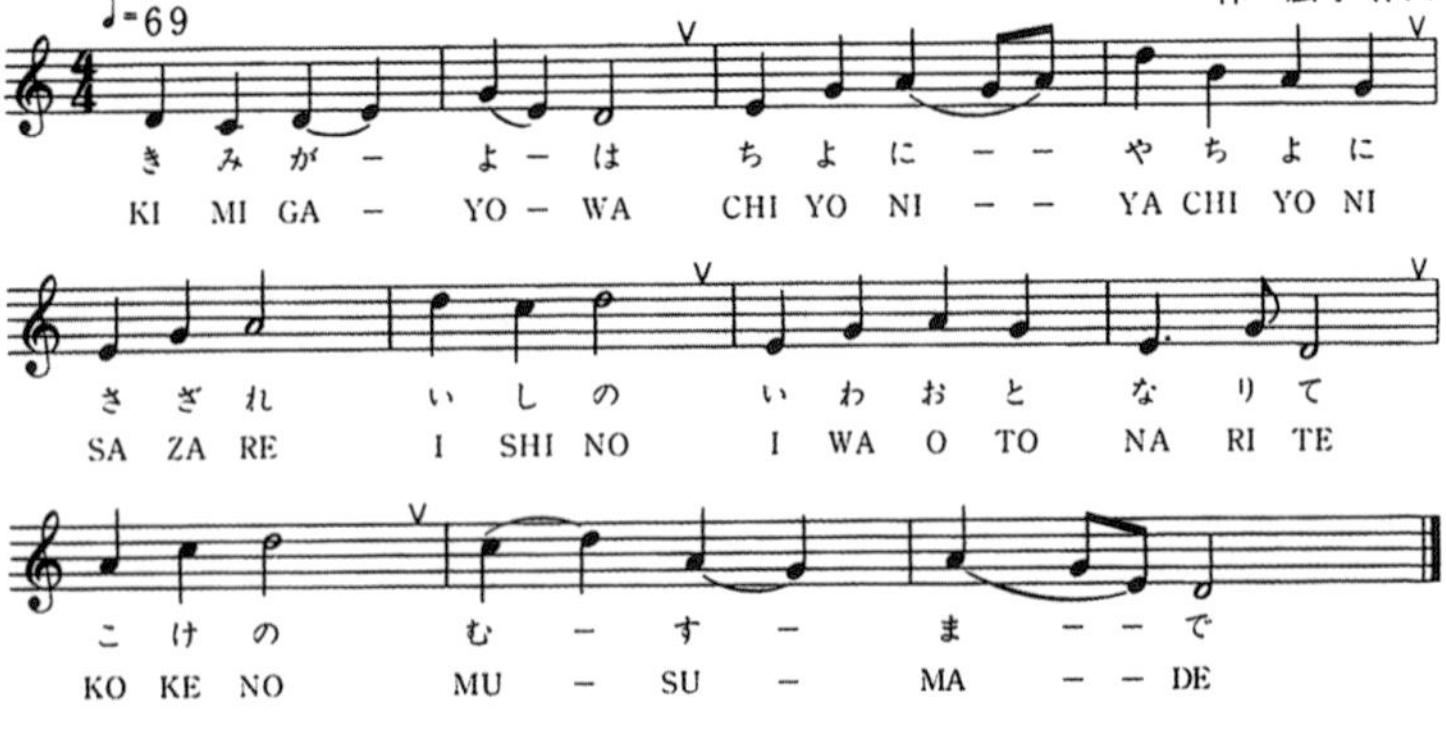
♩=69
き み が ー　よ ー は　ち よ に ー ー　や ち よ に
KI MI GA ー　YO ー WA　CHI YO NI ー ー　YA CHI YO NI
さ ざ れ　い し の　い わ お と　な り て
SA ZA RE　I SHI NO　I WA O TO　NA RI TE
こ け の　む ー す ー　ま ー ー で
KO KE NO　MU ー SU ー　MA ー ー DE

第一代　神武《じんむ》天皇

（筆者所蔵）

御　名　神《かん》日本《やまと》磐余《いわれ》彦尊《ひこのみこと》

御　父　鸕鷀草《うがや》葺不合《ふきあえず》尊《のみこと》

御　母　玉依姫命《たまよりひめのみこと》

皇　居　畝傍山《うねびやま》橿原宮《かしはらのみや》

在　位　七十六年

崩　御　西暦紀元前五八五年

皇　后　媛蹈鞴《ひめたたら》五十鈴《いすず》媛命《ひめのみこと》

陵（所在地）　畝傍山《うねびやま》東北陵《うしとらのみささぎ》

（奈良県橿原市）

三徳・五倫の心

三徳

一に尊敬　二に感謝

三に笑顔で奉仕の心

五倫の心

一、親や祖父母に孝養を　（孝は国の根本）

二、社会や職場に誠実を　（博愛の心）

三、夫婦相和し末永く　（夫婦愛）

四、兄弟姉妹《きょうだい》仲良く助け合う　（兄弟姉妹《きょうだい》愛）

五、人を信じ、違《たが》わず、偽《いつわ》らず　（友人愛）

目次

第一、徴兵検査、そして出征

昭和一八年四月、二〇歳の私は徴兵検査を受けた。

思いがけず、同級生たちと久しぶりに会うことができた。皆一人前となり、とても元気だった。だが、次々と先輩諸兄らの戦死の知らせを聞く中での徴兵検査というものは不安極まりないものだった。それもあったせいか、重苦しい雰囲気を吹き飛ばすかのように我々は声を張り上げ、会話を楽しんだ。

また血気盛りの男子ゆえ、別の不安もあった。淋病や梅毒が判明し「丙種《へいしゅ》」にでもなれば男の恥だ、という不安である。私にはそんな不安はなかったが、いずれにしても「どうせ軍隊に行くんであれば甲種合格になりたい！」という気持ちは誰もが持っていた。

当日の午後三時半頃から検査結果が発表された。甲種合格になる若者は全体の一割ぐらいだが、私はその中に入った。幼少の頃から農業や林業の手伝いをし、体を鍛えた恩恵かもしれぬ。内心、誇らしかった。

その夜は、幼な馴染みの友人らとささやかな祝宴を開いた。そして悲しいかな、この楽しき宴が今生の別れとなった先輩や友人も何人かいる。

その年の暮れ、一二月八日に私は出征した。郷里の人々の歓呼の声や旗の波、勇ましい青年団音楽隊の演奏の中を、力強い挨拶をして村を後にした。

夢の浮世の二〇年
もののあわれを知りながら
俺は覚悟の旅に立つ

こんな歌を残し、私は松本五〇部隊に入隊した。そして四五日間の訓練のあと、フランス領東印度（ベトナム）に発ったのである。

ところが後で聞けばこの時、息子が内地にいるうちに一目逢《ひとめ》いたいと、父母が松本に向かっていたのである。私の「腹を空かせている」という手紙から大好きな餅も携えていた。同じ県内とはいえ一四〇キロも離れた松本の仮兵舎（松商学園）をめざし、夜を徹して訪れてくれたのである。

しかし残念ながら時すでに遅く、私の部隊はちょうどその日の午前一時に隠密のうちに軍用列車で下関に向かった後だった。それとも知らずにようやく辿り着いた両親は、胸躍らせて面会の申し込みをした。ところがいくら待っても私が現れない。しびれをきらしている父母のもと、一時間も過ぎてから一人の将校が入ってきた。

丁寧に挨拶をする父母の姿を見て将校は表情を曇らせ、

「お父さん、息子さんたちはタッたんですよ」と言った。

父は聞き直した。

「出発したということですか？」

「そうです、出発しました」

「いつ出発したんですか？」

「いつって、出発したんですよ」

気の強い父は将校に対して、

「どこへ出発したんですか！」と食い下がった。将校は子を思う親の心情を察し、

「実は、お父さん、これは秘密ですが……」と小声で前置きしながら、

「お宅の息子さんたちは一九日の零時に仏印《ふついん》に出発したんですよ」と明かした。

縁起を担ぐ父はこの言葉に敏感に反応した。「九」と「仏」の二文字に不吉な予感を抱いたのである。だが今さらどうにもならない。真心を込めてこしらえた餅も無駄になった。袖すり合うも多生の縁ということで、将校に半分ほど振る舞い、残りは持ち帰った。

母はこの時、実際には拝謁《はいえつ》したこともない天皇陛下のために我が子を捧げる運命をひしひしと感じていた。「明治女は強い」というイメージがあるが、私のおふくろは小柄でおとなしく、子供たちが悪さをしても激しく怒るということはしなかった。優しく諭すのが性に合う、そんな女性だった。その母親が私とのすれ違いを悔やみ、今生の別れさながらに涙を流しうなだれている。その姿を想像しただけで胸が詰まるが、父はそんな母を勇気づけ、日本アルプスから吹き降ろす一月の寒風に

耐えながら松本駅に向かった。

第二、船酔い、空襲、下痢地獄

私が福岡県北九州市の門司港を出港したのは夜に入ってからだ。

夜が明けたときにはすでに九州の島影は見えなかった。

荒い大きな波の中を、四千七〇〇トンの老朽化した二隻の貨物船に、それぞれ約三千人の兵士が寿司詰めのごとく乗せられた。

私はそれまで海の恐ろしさも、船旅の辛さも知らなかった。むしろ案外楽しいものではないかと想像していた。

ところが出発してから二日ほど経つと、船は大きく揺れはじめた。私はひどい船酔いになり、目は回る、食ったものは残らず嘔吐するなど、まさに居ても立ってもいられないような状態となった。全員が海なし県の信州人だったので、ほとんどの若者が胸を押さえて寝ている。寝ると言っても狭いのであおむけには寝られない。横になって同じ方向に頭を揃えなければならないのである。

船は古ぼけた貨物船だ。汚い船倉《せんそう》に急ごしらえの仕切りや階段が施され、とりあえず人間を運べるようにはしてある。だが窓がない。よって、船内にはおびただしいヘドの悪臭が籠《こも》っている。明かりは裸電球が一つだけ。装具は頭上に張ったロープに吊るしてあり、船が揺れるたびに凄まじい音を立てて天井にぶつかる。

また、敵の潜水艦による魚雷攻撃にも警戒しなければならない。命中すれば木端《こっぱ》微塵《みじん》だ。万一の場合には「総員乗艇《そういんじょうてい》」の命令が出ることになっているが、総員どころかこの貨物船には二隻のボートしかない。救命胴衣も三人に一つだ。ましてや私は水泳が出来なかった。

私は気分を晴らすために甲板に出てみた。外は漆黒《しっこく》の闇。船は敵の潜水艦の攻撃を避けるために蛇行操縦している。ここは玄界灘か東シナ海かなどと思案もしたが、甲板に吹き上げる波柱は横殴りの雨と合わさって私の顔を叩き、立っているだけで必死である。
陸上では剣術でも行軍でも自信はあったが、この荒れ狂う怒涛の中ではどうにもならない。「必ず生きて帰るから」と父母に力強い言葉を残したが、早くもその自信は消え去り、はるか故郷の空を仰いで熱い涙が出るばかりであった。

台湾の沖で突然、前を航行する船団が空襲を受け、船は破壊された。幸い日中だったのと台湾の近くだったこともあり、直ちに救援隊が急行し救助した。そのため高雄《たかお》（台湾南部）に一時停泊したのだが、救助された隊員らが我々の船に乗り込んで来たので船内は厚飼《あつが》いの蚕《かいこ》のカゴより酷い状態となってしまった。中には、ノイローゼになって自殺した戦友もいた。今でいうなら恐怖性障害とでも言うのだろうか。本当に気の毒だった。

私の乗っている船はサイゴンへ入港する予定だったが、前途に危険が迫ってきたので予定を変更。一八日間の恐怖の船路に終わりを告げ、中部仏印（ベトナム中部）のトゥーラン港（現在のダナン市）に上陸した。この時の喜びと感動は今でも忘れない。

紺青《こんじょう》の海水を抱いた周囲のなだらかな山々には、熱帯の樹木が鬱蒼と茂っている。そして、フランスの植民地らしく、ヨーロッパ風の真っ赤なとんがり屋根と純白の壁が映えている。まるで龍宮にでも行ったかの様な景観であり、きれいに舗装された道路の両側の芝生には、名も知らぬ色とりどりの草花が鮮やかに咲いていた。

並木の大木には蔦葛《つたかずら》が長く下がり、目の覚めるような花弁が片々とし、焼けつくような熱帯の陽光と絶妙なコントラストを成している。小鳥のさえずりに故郷の初夏の谷間を思い出す。単調な汽笛を鳴らして走る粗末な蒸気機関車。それを眺めながら、私たちはのんびりとしたひと時を味わった。

ところがそれも束の間。Ｂ29爆撃機がにわかに襲い掛かってきた。

「空襲！　空襲！　全員、木の陰に散れぇ！」と指揮官が命令。

キーンッという金属音とバリバリ！　とはじける銃撃音。そして、耳をつん裂く爆弾の炸裂音。私はバラ藪《やぶ》に頭を突っ込んでいたが、首から下は丸出しだった。生まれて初めての空襲と砲撃にびっくりし、「頭かくして尻かくさず」の格好となってしまった。滑稽に思ったが恥ずかしくて口には出さなかった。

トゥーランからハノイまではほとんどの鉄橋が爆破されていた。仕方なく輸送は列車や自動車を使ったが四日間もかかってしまった。ただし、一番長いズーメル橋だけは無事だったので、ビンエンの兵舎への通路は通ることができた。

さて、私が配属したのは、歩兵第六二隊・第三大隊。その九中隊員として現地にて軍隊教育を受けた。だがここでの訓練の厳しさは、敵前だけに想像を絶するものだった。

私は気性も身体も強靭だったので内務も外務も成績は良かった。しかし極寒の信州から急に焼けつくような熱帯に来たためか下痢になってしまった。食事をしては下痢という繰り返し。薬を飲んでも症状はあまり改善せず、訓練があるので医務室に行く時間もない。そんな状態が二か月間も続いた。結果、体重が四一キロと、ミイラのような姿になってしまった。

第三、小隊全滅

時は昭和一九年。無傷を誇っていた大南方軍《だいなんぽうぐん》もガダルカナルの大敗からサイパンの玉砕と、悪いニュースが日々入ってくる。否が応にも緊張感が高まってくるのだが、そうこうしているうちに季節は秋となり、我々の部隊もいよいよ出動命令が出た。

当初我々は「明号作戦《めいごうさくせん》」に参加した。これは、フランス領インドシナにおいてフランス軍を攻撃して勝利し、総督府を掌握してインドシナを支配下に収めた戦いである。「欧米列強からアジアの植民地を開放せよ！」という使命をおび、私も必死で戦った。

だがそのあと、我々は本当の地獄を味わうことになる。

昭和二〇年六月、我々はベトナム南支の国境における戦火の中に身を置いていた。この場所は現在の北ベトナムで、当時は仏印と呼んだ。その仏印と南支那の国境線における戦闘である。時あたかも第二次世界大戦が終わりを告げようとする時期であり、米国をはじめ各国は圧倒的な戦力をもって日本の息の根を止めようと躍起になっていた。米軍が沖縄本島に上陸し、激戦の末、沖縄が占領されたのもこの頃である。

我々が戦う相手は中国軍、蔣介石百三十師団直轄軍一ヶ大隊。敵は四〇〇〇人ほどは居ただろうか。

六月一七日、夕食を済ませた私は、壕《ごう》から外に出た。薄暗く夕もやの立ち込めたこの地点は、敵の陣地の真正面。見渡す限りの山と谷。その間を縫ってウネウネと続く蛇の様な峠道を三一キロ下った所が、中隊の野戦本部（カンバ）である。さらにそこから同じような険しい道を四〇キロ下った所が大隊本部の仮陣地。これをハージャンと呼んだ。

そして、その中隊の最前線で警備していた歩哨《ほしょう》小隊が、大沢准尉《じゅんい》以下一二名で構成される「マロン陣地」である。私もその中の一人。敵軍は眼前千メートルの地点（ナチョカイ）に一個大隊が集結し、毎日のように陣地づくりに精を出している。マロンに来てから四五日が経過した。敵と向かい合った当初は全員緊張していたが、単純労働の壕掘りを敵は毎日行い、我々も負けじと精を出す。すると不思議なもので相手に対する恐怖心も薄らいでいく。

私は国境線警備の任にも着いたが夕食は明るいうちに済ますので、暗闇での歩哨勤務が始まるまでの約一時間は自由時間である。この時間は我々兵隊にとって貴重なひと時である。部屋は壕の上に丸太棒を並べた簡素なもの。床はアンペラ（カヤツリグサ科の多年草）に毛布を一枚敷けば特等席となる。その席に集まって兵隊らは賑やかに花がるたを始める。中味はオイチョカブのようだが、賭け事の嫌いな私は勤務時間にならなくとも山頂に立ち、夕暮れの警備を自発的に行うのが常だった。

私は詩歌が好きで、少年の頃からつらい時や悲しい時は歌を歌って自分を慰めた。

ああ草枕　幾度ぞ
棄てる命は　惜しまねど
まだ尽きざるか　荒野原《あれの》
駒の吐息が　気にかかる
思えば遠く　来しものぞ
渡る風さえ　母の声
未練じゃないが　ふる里へ
夢や今宵は　通《かよ》うらん

「あゝ草枕幾度ぞ」より

やがて歩哨《ほしょう》の時間が来た。

私の交替時間は午前二時から三時まで。あとの一時間は外の歩哨との連絡のため、次番を起こして準備させるという任務だ。人員が少ないので小隊全員が一晩に一回は任務に就くのである。

私が起こされたのは午前一時五〇分。服装は古い地下足袋をはき、巻脚絆《まききゃはん》は着けないが鉄帽に銃剣、弾薬を装具する。一時間の歩哨時間は無事終わり、午前三時、河合兵長と交替した。私はいったん壕の中に入ったが、午前三時三〇分頃、河合兵長と外に出てみた。

「異常はないか?」と私はひとりの歩哨に聞いた。

「異常ありません」と歩哨は答えた。だが、なんとなく不気味な夜だ。

空は真っ暗で小雨がしとしと降り始めている。昨夕の日の入りは晴れていたが、一群の黒い雲があったことを思い出す。生ぬるい風もざわざわと髪をなでるようだ。

歩哨は炊事小屋の入り口で、雨を除けながら寄りかかって立っていた。

私は壕を一廻りしようとして炊事小屋の裏側に出た、その時だった。

「カラ、カラン、カラ、カラン」と妙な音がする。私の六感は鋭く働いた。すかさず手榴弾を握る。これは風の音とは違う。前方五~六メートル下の鉄条鋼に結いつけた敵の近接を知らせる警鐘の音だ。風で揺れ動くはずがない、と思う間もなくガサガサと草をかき分ける音。

敵の襲来だ、間違いない!と判断すると同時に大声で、

「敵襲! 敵襲!」と叫んだ。

谷を五〇〇メートル隔て睨《にら》み合っていたが夜襲を掛けられ、袋のネズミとなったのだ。私はすかさず手にした手榴弾の安全栓を歯で抜き取って投げ、爆破させた。次の瞬間、相手からも花火の様な火の粉を吹きながら、柄付《えつき》手榴弾が曲線を描いて飛んできた。ガ、ガ、ガーンッと激しく炸裂。歩哨は驚いて飛び上がった。「わー、わーっ」と真っ暗闇の中、奇声を発しながら走り回っている。

急に起こされた兵隊たちは軍装を完全に身に着ける間もなく配置についた。私は壕の一部に身を寄せながら、そこに積んであった手榴弾を取り出し、懸命に応戦した。だが、黒山のような大軍が小さな陣地を取り巻き、雨霰《あられ》のように銃弾を撃ち込むのだからたまらない。

敵の投げつける手榴弾は四方八方に飛び散って、そのたびごとに土砂が体全体に覆いかぶさる。その重さが尋常ではない。

間髪を入れずに手榴弾が容赦なく投げ込まれ炸裂。次の瞬間、近藤衛生兵長が「あ、やられた、止血してくれ!」と叫んだ。彼の胸から激しく血がほとばしっている。そしてそのまま前のめりに倒れ、絶命。

柳沢上等兵は一一年式軽機関銃で激しく応戦の最中、薬莢《やっきょう》突っ込みの故障でもがいているうちに敵の手榴弾が炸裂し、体がバラバラに飛び散った。

私の隣で戦っていた安田上等兵は右腕の上腕部を撃ち抜かれ、その鮮血が私の軍服を紅く染めた。私は携帯していた包帯包《ほうたいほう》を取り出し、体を塹壕《ざんごう》にすり寄せながら止血した。だが包帯の最後の結びを施そうとした瞬間、何発も手榴弾が炸裂し、私の耳はジーンとなって聞こえなくなった。と同時に、体中がハチに刺されたような激痛に襲われた。「やられた！」と思った瞬間、安田上等兵の頭が私の膝の上に垂れた。首がちぎれたのである。彼の首は七割ほど破れ、そのまま私の体にへばり付いた。悲しむ間もなく今度は、小隊長である大沢准尉の首、手足、胴体がバラバラに吹き飛んだ。まさにこの世の地獄だ。

第四、生きたい！

戦闘は二時間ぐらい続いただろうか。ようやく夜が明けてきた。

ピーッ、ピーッと鋭い笛の音がする。薄明るくなった深い霧の中を凝視すると、敵兵は東の一角に終結しているようだ。まだ日本軍の陣地に相当の兵力があると見たからだろう。

この時、山神伍長は「ちくしょう、ちくしょう」と泣きながら敵兵めがけて銃を撃ち続けていた。だが敵兵の撤収を見ると応戦を止め、

「依田、みんな死んでしまった、早く中隊本部へ知らせろ！」と叫んだ。

「いや、俺は最後まで戦う！」と私。

「馬鹿を言うな！　ひとりではダメだ！」と言い残すが早いか、山神は敵とは反対側の裏山へ逃れて行った。

私はその時初めて我に返った。辺りを見れば、大沢准尉以下仲間の連中が血の海の中で無残な姿となっている。もはや声ひとつない。昨晩の夕食まで兄弟以上の親しみを感じる仲間だった。私は涙を流しながら両手を合わせ「南無阿弥陀仏、南無阿弥陀仏」と唱えた。

「よし、この仇はきっと取るからな！」と心に念じつつ、私は山神伍長の後を追いかけた。

山神はガサッ、ガサッと音を立ててジャングルの中に逃げ込んでいく。敵は所かまわず自動小銃を乱射。それが山神にも命中したのだろう。山神の一切の動きが止まり、そのまま一生の別れとなってしまった。

私にも弾丸が飛んできた。一発は鉄兜に、もう一発は右腕を掠《かす》めたので即座に跳《は》ね出し、死を覚悟して絶壁を落ちるように飛び降りた。運よく骨折はしなかった。続けて何度か撃たれたが、弾は当たらなかった。

その後、断崖の多い草木の陰を匍匐《ほふく》前進しながら敵兵の包囲網をかいくぐった。

それからというもの、私は人生で最もつらい八日間を過ごすことになる。

逃走中一番こたえたのは、日中は動けないという事である。敵兵が動哨《どうしょう》（警備・警戒）を行う中、息を殺して上向きに寝る。咳払いひとつ出来ない。ベトナムの灼熱の太陽が容赦なく空腹の身を照り付ける。息が止まりそうな苦しさだ。木の根っこと間違えているのか、私の頭や肩にリスが飛び歩いている。耐えられなくなってうつぶせになり、顔を土の中に突っ込む。息苦しいこと極まりない。

またある時は、水を飲みに深い谷に下りようと思って岩棚に下りたら、左右の方向に敵の歩哨が自動小銃（ライフル）を構えて周囲の様子を伺っている。私は「気づかれたか？」と思ったがその瞬間、ガタガタと急に身震いが始まった。生まれて初めての体験である。筋肉までが止めどなく揺れ動き、まるで体に地震が起きた様だ。「天神様、私は悪い事をしてません、今死ぬのは残念です、助けください」と心の中で祈った。小学校一年生の時から天神様に毎朝祈っていたのでとっさに脳裏に浮かんだ。願いが届いたのか、幸い敵兵らは去っていった。

その晩は月の光が刺していた。だが時々黒雲が掛かって私の姿が暗闇に隠れる。ところが雲は素早く通り過ぎ、月の光に照らされる。恐怖で再び体が震える。そんなことを何度か繰り返しているうちに、幸運にも激しい雷雨となった。私はこの時ぞとばかりに体をひるがえし、真っ暗な谷に飛び降りたのである。

何メートル落ちたのかわからない。死の恐怖から脱するための決死の行動だった。幸い、落ちたのは厚い藪《やぶ》の上。それがクッションとなり、ワンバウンドして傾斜の強い斜面に飛ばされた。だが銃は離さなかった。

雨は車軸を流すようなどしゃ降りである。中隊本部までの行程はまだ三分の一も来ていない。私はトゲのある草や木をかき分け、谷へ谷へと下がって行った。すると、鉄帽に打ちつける雨の音に交じって滝の音が轟轟と聞こえてきた。そのまま闇雲に進めば深い滝つぼに落ちると直感した私は足を止めた。

「もはやこれまでか」と一瞬弱気になる。このまま滝に飛び込んで自害しようかとも思ったが、ふと父や母の姿が浮かび、思い直した。

雨は一晩中降り続いた。あの夜襲を受けてから三〜四日経つが、何も食っていない。飢えと疲労と睡眠不足で体は綿の様になっている。雨具もなく、ずぶ濡れの体には血の流れが感じられない。虚ろな状態で分別もつかず夜を明かした。

私は進むべき道を模索した。ふと祖父に山に連れて行かれた時のことを思い出した。

「山に行ったら山成《やまな》りを覚えよ。必ず通った道を振り返り、峰がどのような形になっているか判れば、道に迷っても困らない」と教えてもらったことがある。その教えからいくと、谷間を抜け出すには前方の峰に登らなければならない。そこで私は、山をよじ登り始めた。ところが七合目あたりまで来た時に、バリッバリッと周囲の草や木の葉が飛び散った。敵の銃撃だ。とっさに身を隠し、難を逃れた。

闇の中を進み、頂上にたどり着いたのは真夜中だった。頂上は草原になっていて、近くでなにやら人の声がする。敵の歩哨に間違いない。身を潜め、夜明けを待った。

周囲が薄暗い中で目をこらすと約五〇メートル先に銃を構えた敵兵がいる。その前を通らなければ味方の陣地には行けない。

私は草むらに仰向けになり、着剣した銃を右手に持った。発見されたら即座に銃撃するつもりだった。だが、この日に限って太陽の日差しがいたって強い。次第に呼吸が苦しくなる。空腹のため、腸が全部背骨に張り付いた感じでキリキリと痛む。

脂汗がネチネチと粘り、体がミイラ化しているのが解る。

再び日が暮れる。私は昼間見定めておいたコースを進んだ。暗闇の中、転倒もした。バラ藪が手足に刺さり、血だらけになる。足の裏があまりにも痛いので地下足袋を脱いでみると、皮がふやけ傷だらけだ。さらによく見ると、足首に真っ黒のヒルが食らいつき、私の血を吸っている。大きなミミズの様になっていたので怒りを込めて抜き取った。

また、マラリア菌を媒介するアノフェレス蚊にも悩まされた。仕方なく鉄帽の中に納めておいた寄せ書きの刻まれた日の丸の旗を取り出し、頬かぶりをして蚊を防いだ。


中間地点にある峠の関門はすでに敵の支配下にある。あの両側のトーチカ（鉄筋コンクリート製の防御陣地）を突破することはおよそ不可能だ。しかも七日間、何も食っていない。

朧《おぼろ》げに脳裏に浮かぶのは、母が作ってくれた懐かしき食膳である。ああ、二二才の六月で私の生涯は終わるのか……どんな粗末なものでも良いから腹いっぱい食べて死にたいなぁ、と思った。

私は幼少の頃から厳しい家庭で育ち、好きな娘の手ひとつ握ることもなく、カフェ遊びもしたことがない。一心不乱に勉強と仕事に励み、親孝行と社会奉仕に力を入れてきた。それなのになぜこんな目に遭わなければならないのか。私は自分の人生を呪った。

でも私は「生きたい」と思った。生きて還って、このつらく恐ろしい体験を家族だけでなく、多くの人々に話したいと思った。すると不思議とやる気が湧いてきた。

どうせじっとしていても誰も助けには来ない。そう覚悟を決めた私は、三八式歩兵銃に安全装置を掛け、最大の難関に向かった。

第五、トーチカを越えろ！

生きて仲間の元に還るには、なんとしても越えなければならないトーチカ。この峠はたった一本の道しかなく、迂回路は皆無だ。

そこでまず私は、雷雨の稲妻の光を頼りに道を見定め、ジャングルを抜け出して道路に出た。着剣した銃は安全栓をはずして激発装置にし、手腰の姿勢で一歩一歩前進した。あまりに激しい雷雨のためか幸い敵と遭遇することはなく、七日目の夜、ついに敵のトーチカの手前までたどり着いた。

敵兵が銃を構えているので、無防備に通ればハチの巣になることは間違いない。そうかといって両側は何百メートルもある険しい岩山。餓死寸前の私には岩山を登る体力が残っていない。万事休すだ。

だがその時、私の脳裏にある言葉が浮かんだ。それは私が少年時代、困難な道を行く時の「おまじない」として父から教えられたものである。

天切る、地切る、四方切る
我が行く先を払い切る
アビラウンケンソワカ

私はその言葉を必死で唱えた。これは漢字では「阿毘羅吽欠蘇婆訶」と書き、大日如来の悟りを表した真言である。目的を果たすための呪文として知られているが、そのご利益があったのか、少しずつ元気が出てきた。

しばらくすると人の話し声が聞こえ、振り向くと敵兵一個小隊が馬に弾薬を負わせ、こちらに向かってくる。草むらで息を殺しながら、彼らの動きを追った。馬が三頭、兵士が二一人、支那語で何やら話しながら通り過ぎていく。私はホッとしながら第四匍匐《だいよんほふく》（右手で小銃の銃把《じゅうは》＝グリップ、左手で被筒《ひつつ》を握る匍匐）でその場を去り、トーチカの見える場所に移動した。

このトーチカは天然の要塞と云われている。この地域の地形は南支那とベトナムの国境線だけあり天を突く様な岩山が連なっているのだが、なぜかこの地点だけ山脈が切れているのである。以前はフランス政府が関所《せきしょ》式のトーチカ陣地を築き上げていたようだ。それが最近までは日本軍の所有だったが今は支那の蔣介石軍のものとなっている。今朝も彼らはこのトーチカに陣取り、日本軍の攻撃を防ぐために大木を道路に切り倒すやら、大きな石を転がし出す作業で終日大変な騒ぎであった。

私は、夕方には彼らは引き上げると想定していたがその気配がない。今日中にこのトーチカが突破できなければ餓死、自殺、戦死のいずれかが待っている。

「よし、山を登ろう！　少しでも戦友に近寄って死のう！」　私は決意し、先に見えるトーチカと岩山を睨み上げた。

着剣を腰に納め、三八式歩兵銃を背中に背負って岩角につかまり、蔓《つる》を頼って一歩一歩登った。あまりの疲労で呼吸が止まりそうになる。感覚もなくなる。しばらくは夢うつつになる。不思議と楽しくなったり、天国に行ったような、あるいは舞を舞っているような幻覚も見た。

ハッと気が付くと眼前に青く光った幽霊。私はなぜか深々と頭を下げ、近寄って触れると古木の根っこ。あとで思えばリンが燃えていたのだろう。

覚えがなくなっては立ち上がり、登り始めては滑り落ち、何十回もこれを繰り返した。

そして遂に、一晩中かかってこの岩山を乗り越えたのである。

第六、涙の再会

仲間の居る中隊本部（野戦本部）の周辺にたどり着いたのは六月二五日の朝だった。

道路に出ると大木が十重《とえ》二十重《はたえ》に伐り倒してあった。これを潜り抜け、銃剣を構えて野戦本部への道を急いだ。

ふと見ると、前方から部隊らしき者たちが近寄ってくる。私は道脇に隠れ、銃を構えた。この時私はアメリカの空輸部隊だと思った。マロンが夜襲され、全滅しているのにも関わらず応援に来ない中隊本部はすでに全滅しているだろうと思ったからである。

だが、歩き方はどう見ても日本軍だ。

「誰か？」私が叫ぶ。

「誰か？」相手も日本語で答えた。

「日本軍でありますか？」と尋ねると
「そうだ」との答え。慌てて先頭を凝視すると、見慣れた顔の武居少尉だった。

「依田です！」私は胸が張り裂けるほど一杯になった。

部隊からいっせいに「うわあー！」という歓声が上がる。

「依田だ！　依田だ！」、「大丈夫だったのか！」の声が響く。

私は大隊長の丸山少佐に不動の姿勢を取り、捧銃《さげつつ》の敬礼をした後、報告を簡潔に行った。

戦友らが次々と握手を求める。中でも富永、登玉兵長などは、

「死んだと思っていたよ、依田の幽霊が来たと思った、生きててよかったなぁ！」

と抱き着きながら喜んでくれた。

中隊長の内藤大尉から、

「今日はマロンの状態を探るために、丸山大隊長以下四〇人で偵察にいくが、道中はどうだ?」と尋ねられた。

「はい。道路には障害物が沢山あり、敵兵も道路付近に集結しておりますので気をつけてください」と私。

「よしわかった、君はカンバ(野戦本部)へ帰って休養を取れ」

「はい」と私は答えたが、地獄を味わった直後でもあり、夢の様な幸福感に包まれた。

あとで聞いた話だと母親はこの頃、私がずぶ濡れで痩せ衰え、倒れる姿を夢に見てはハッと目が覚めることが多かったという。以心伝心とはこのことか。

第七、最後の激戦と父の疑念

偵察隊は無事帰っては来たが、マロンの陣地は完全に蔣介石軍のものとなり、追加構築をして近寄り難い築城となっているとのこと。

大隊は報復戦の計画を立てた。そして私が帰還してから五日目、六月三〇日の午前三時、敵陣深く潜入した。大隊の先頭には復讐に燃える私が立った。だが闇の中、先頭で敵陣の中に入って行くのはあまり気持ちの良いものではなかった。

私の所属する九中隊の攻撃目標はマロン陣地の正面であり、大隊砲の打ち込みと同時に突撃、という手はずになっていた。

ついに朝陽が上がる。内藤中隊長は敵陣を睨み、

「銃眼が見える！」と叫んだ。

すでに敵陣から五〇メートルほどの至近距離。中隊の九〇人すべてが一列縦隊で待機している。

中隊長は一気に敵陣突破を狙った。私は、

「中隊長殿、夜明けと同時に大隊砲の打ち込みが始まることになっているのに、どうしたのですか？」と尋ねた。大隊長も
「どうしたんだろう？」と同じ疑問を抱いたが、内藤中隊長は待ちきれずに「進め！進め！」と叫びはじめた。

「タン、タ、タン！」と敵の狙撃手の点射が始まった。周囲の草の葉が飛び散る。間もなく四方八方の銃眼からいっせいに銃弾が飛んできた。まさに雨霰《あられ》の様相だ。内藤中隊長が伏せた。と思ったら首を撃ち抜かれていた。鮮血が噴き出し、石の上に流れた。

「中隊長殿、しっかりしてください！」と叫んだが、かすかに「う、う」と唸っただけで息が切れてしまった。

武居少尉、神野准尉と私は前進を続けたが、息つく間もない激しい砲撃だ。私は

直径三〇センチほどの石を楯に伏せたが、石に命中する弾丸の圧力で私の体を押し戻す。その時、右手に激痛が走った。見ると布を貫通し、腕の一部をかすめていた。と思う間もなく鉄兜にも当たり、頭がグラグラとしたが無事だった。私は、

「武居少尉殿、今朝の大隊砲はどうしたのですか？　このまま進撃を続けるのは我が軍に不利と思われます」と進言した。

武居少尉と神野准尉は口を合わせたように

「そうだ、いったん引き下がれ」と退却命令を出した。だが、あまりの激しい砲撃に動くことが出来ない。そして這《ほ》う這《ほ》うの体《てい》で谷底へ集結した頃、ようやく大隊砲の砲撃が始まった。

多くの戦友はその時、涙を流していた。中隊長を失った悲しみと、なぜ今頃まで砲撃が遅れたのか、大隊本部からの命令はどうしたのか、という悔し涙である。だが後で聞くと、霧が深くて砲撃が出来なかったとのこと。これも運命なのか。

降りしきる大雨にタバコすら吸えない。心がけの良い戦友が、濡らさないように所持していたタバコに火を点け、吸い回しをした。タバコをくわえ、泣きながら雨に打たれている戦友たちを見て、私はあらためて戦場の哀れさを痛感した。

結局、今回の作戦は戦果を得られず、犠牲者まで出してしまった。だが諦めるわけにはいかない。満を持しての二回目の攻撃は、それから二週間後となった。

この攻撃は決死隊が編成された。決死隊は鉄帽の下へ白鉢巻をし、編上靴《へんじょうか》や帯剣に布を巻きつけて防音を施した。私も戦友の復讐戦ということで率先して志願した。大隊長から別れの盃《さかずき》を戴き、マロン総攻撃の火蓋《ひぶた》は切られた。

だが、この戦いは酷かった。

決死隊が敵陣地の頭上に密かに陣取り、日の丸の旗を振って合図をしてから総攻撃をする手はずだったが、待ちきれぬ大隊は総攻撃を開始してしまった。敵も必死、銃眼から吹き出す猛火で日本軍はみるみる死屍《しし》の山を築き、流れる血は山谷を紅に染めた。

我々決死隊は友軍の進撃を助けるために頭上から手榴弾を投げ込んだが、友軍はほとんどが銃弾に倒れているので追撃が不能となっている。

各中隊とも三方に分かれて進軍し猛攻撃をした。私の所属する九中隊は正面、側面は一二中隊だったが、その進路は最も難関であった。

大隊長も決死の覚悟だ。「進め！　進め！」の総攻撃で、遂に夕方には完全に占領することができた。だが、友軍の被害は大きかった。特に九中隊の戦死者は半数を超えた。

その後もマロン陣地の守備は続行となり、大隊長には一一中隊長の栗林小隊が任命された。

ところがその一か月後、万感胸を塞《ふさ》ぐ終戦となったのである。

戦争とはかくも恐ろしいものである。

しかも、敗北したとなると無事に日本に帰れる確率は極めて低くなる。戦勝国の考え方ひとつで生死が決まるからだ。捕虜か銃殺か、悪い想像が頭の中を激しく巡った。

精魂の限りを尽くして戦ってきた武士の最後。おめおめと生き永らえることが本望ではない。いっそうのこと最後の一兵になるまで戦い抜くかとも思った。だがすぐに、その考え方はとてつもなく大きな錯誤であり、人の道ではないという思いに至ったのである。

敵兵とはいえ、個人的には何の恨みもない。お互いに国からの命令に忠実に従い、命を懸けて戦っただけである。人間どうしがなぜ殺し合いをしなければならないのか。その原因が私にはどうしても不可解であり、納得ができなかった。

だが、不可解といえば、実はこの激しい戦場の中においても、私の脳裏に或る言葉が引っ掛かっていた。それは私が一五～六歳の頃のことだが、生来勘の鋭い父が「この戦争は間違っている、何かにダマされている……」とつぶやいたことであった。

(何にダマされているのだろう？)

その時、父に聞き返すことはしなかったが、これが私の長年の疑念として脳裏に残っていた。

第八、ベトナム人と共に敗戦を悲しむ

我々がベトナムで敗戦を迎えた時、現地のベトナム人らは共に嘆き悲しんでくれた。なぜなら、同年三月一〇日、日本軍はベトナムをフランスの植民地支配から解放したからである。私も明号作戦に参加し、開放戦線にも参加したのでベトナム人にはとても感謝された。

「私たちは日本国を信頼している。日本国は必ず世界一の国になる時が来る。それまで私たちは待っている」という彼らの言葉は今でも忘れない。

北ベトナムの町では、日の丸の小旗を手に持ったベトナム人らの歓待も受けたが、これは日本本土では味わったことがないほどの熱烈さであり、我々の感激もひとしおだった。

南支那、そしてベトナム等は三年間も生活した地域だけに愛着も湧いていた。当時、ベトナムと言うと泥臭い感覚を抱いたものだが、北部や南支那国境線を除いては見渡す限りの水田地帯である。いわゆる常夏の国であり、二年間でコメが五回も収穫できる。

果物もバナナ、パパイヤ、ドリアン、マンゴスチン、ザボン、パイナップルなど、熱帯性の作物はもちろんのこと、北ベトナムではみかん、柿、ブドウなど温帯性のものまで良く育つ。

平野が多く、山あり川あり、樹木も鬱蒼と大木が繁っている。国の政治いかんでは素晴らしい国になれる。ベトナムの可能性を大いに感じたものだ。

八〇年間フランスの植民地政策の中で縛られていたため、ある程度のヨーロッパ文化は浸透していても一般住民の生活レベルは低かった。

ベトナムは天然果実も豊富なためか、怠け者も多かった。男性は木陰で子守りをしながら博打をしている。傍らで作業をしているのは女性がほとんどだ。市場で品物を売っているのも女性、農作物を頭上に乗せて歩いているのも女性だった。

ここは一夫多妻主義なので、力のある者は妻を何人も娶《めと》る。第一夫人は一番の権力者、最後に夫人になった者は一番働くことになる。そしてなんと、全員が同じ家に住んでいる。

ライチョウへ向うために一五日間の行軍をした時、リーという村長のお宅に泊まったが、そこには五人の妻がいた。部屋はそれぞれ別だが、みんな仲良く暮らしていた。

一方、力のない者は一生独身で暮らす者が少なくない。また、女性が子供を産んでも乳が出なくなると子供を捨ててしまう。よって子供の乞食が多く、哀れな姿が至る所で見られた。

また、盗人も多い。だが警察が機能していないので、悪事で捕まると皆に縛られ、川に投げ込まれる。私たちが雨上がりの田舎道を行くと、大きな池の中に手や足を縛られた土左衛門（水死体）が浮いていた。一同びっくりしたが、聞いてみると珍しいことではないとのこと。まさに当時は無政府状態、私的制裁（リンチ）の国であった。

また、伝染病においては、コレラ、チフス、赤痢、パラチフス、マラリア熱帯性潰瘍、インキン、タムシなどキリがない。中でも特に恐ろしいと思ったのはコレラで、ハイフォンの近くの町にいたときに、夕方になると骨と皮だけになったツーンと伸びた死体が山の様にゴボウ積みされ、川原に曳《ひ》かれていた。たぶん砂浜を掘って埋めるのだろうが、悲しんでいる者などどこにもいなかった。現在のベトナムは衛生管理も良くなっているが、戦時中は酷かった。

経済的なことを考えるのであれば、信州の山奥で二町歩《ちょうぶ》（約六千坪）の耕地を耕すよりも、ベトナムならその半分の面積で同じ収穫となる。それなのに収入は日本の一〇分の一であり駄農《だのう》もいいところ。人あって人なきに等しく、土地あって土地なきに等しい。このことにいち早く目をつけたのがホー・チ・ミンである。彼はコミンテルンを代表するベトナム人共産主義者であり革命家。植民地時代からベトナム戦争までの革命を指導した建国の父である。

彼は日本が敗北するやいなや共産党大会などを開いて蜂起し、ベトナム民主共和国の初代国家主席となった。

日本軍にとっては、中国では毛沢東率いる中国共産党軍（八郎軍）に栄冠を奪われ、ベトナムでも努力空しくホー・チ・ミン率いる越明軍《えつめいぐん》に天下を取られた。よって、もし日本に帰れないのであればこの地を開拓し一生を捧げようかとも思った。とそんな矢先、我々の心中を見透かすように、越明軍から激しい勧誘を受けることになる。彼らは、日本人が勤勉で道徳心も高いことを知っていた。

宣伝チラシには「二階級進級、妻は二人与える」と書いてある。これによりベトナムに残った連中もかなりいた。私も農家の長男でなかったら、今頃はベトナムで一旗揚げていたかもしれない。

親切で礼儀正しく品行方正、しかも勤勉な日本の若者はベトナムの女性たちからとても好かれ、恋しがられた。彼女らは顔つきも日本人に似ており、柳腰《やなぎごし》で艶っぽい女性も多い。

だが照れ屋で高潔な日本兵は多く、上官の目も光っていたのでうかつに手を握るようなことはしなかった。あれから七四年か……。遠い昔の話である。

現在、ベトナムの経済成長はめざましい。二〇一八年の実質ＧＤＰ成長率は七・

一％だった。進出する日系企業も多いし、外国人技能実習生や労働者として日本にやってくる若者も多い。

ただし最近、あるベトナム人に言論の自由について聞いてみると、共産党独裁の国なので政権批判はご法度、言動には気をつけた方がよいと忠告してくれた。事実、政府批判などで投獄されている人々も多い。

だが、私は経験的にベトナム人とはウマが合うと感じているし、とても愛着を持っている。中国共産党のやり方に嫌悪感を抱くベトナム人も多い中、本音を言えば自由主義国どうしとしての親密な交流を、私としては期待したい。

第九、蒋介石軍大隊長の意外な言葉

昭和二〇年八月一五日、天皇から終戦の詔勅《しょうちょく》が下った。我々は万感胸に迫るものを抑えながら、仲間と共に一か月がかりでハノイ郊外に下った。ところがなんと、敵である中国軍（蒋介石軍）も同じようにハノイの郊外に下がってきたのである。そして一か月ほどなぜか同じ地域にて駐屯する、そんな不可思議な状況となった。

我々は建物を貸し与えられ、そこで寝泊まりをした。彼らの駐屯先については詮索も出来なかったので不明であったが、食事どきになると彼らは飯盒《はんごう》や食器などを持ってどこからともなく現れた。

共同水道は一本しかない。よって水道の蛇口を奪い合う状況になるのかと思い身構えたが、彼らは違った。我々が水道を使っている間は、後ろで黙っておとなしくその順番を待っている。因縁をつけてくるような様子もなく、むしろ遠慮がちにさえ見えた。

そんな日々が続く中、戦勝国の中国軍（蔣介石軍）に兵器弾薬を引き渡す日が来たので、我々は緊張の面持ちで集合した。すると蔣介石軍の大隊長は意外な言葉を発した。

彼は静かに、「日本の皆様、これから私たちは日本の皆様と仲良くしなければなりません。したがって、皆様が復員船に乗るまでの責任は我々にありますので、護衛のために銃剣を各班で一丁ずつ持ってください」と流暢な日本語で言ったのである。

たった一か月前まで殺し合いをした蔣介石軍がいったいどうしたことか。普通なら我々が捕虜になってもおかしくない状況なのにと思い、不思議で仕方なかった。

この頃、ベトナムはホー・チ・ミン率いる共産党軍の支配下になりつつあった。よって、日本兵に危害が加えられぬよう、復員船に乗るまで蔣介石軍の兵士らが護衛してくれたというわけだ。

思い返してみると、昭和一二年に支那事変（日中戦争）が始まり、昭和二〇年まで続いた。そして、昭和一六年一二月からは大東亜戦争の枠組の中で、日本軍は中国国民党（蔣介石軍）、中国共産党軍、アメリカ軍、イギリス軍等の連合国軍と戦った。そして日本は負けたのである。

ただし私が一五歳の時、支那事変（日中戦争）に参戦した村の先輩が奇妙なことを言ったことがある。後述するが、「八路軍《はちろぐん》（中国共産党軍）とは面白い軍隊でな、時により、日本軍がやられそうになると迫撃砲を蔣介石軍の方に発射し、日本軍には撃ち込まなかったんだ」と話してくれた。「仲間を痛めつけて敵の味方をするなんて変だな？」と子供心に思ったものだ。

だがこの不可思議な話と、父親の抱いた「この戦争はおかしい」という疑念。そしてベトナムハノイで見せた蔣介石軍大隊長の意外な言葉と協力的な振る舞い。

これらの疑問はやがて解けていくことになるのだが、知れば知るほど恐るべき戦争の裏側をあぶり出すことになる。

第一〇、富士山が見えたぞ！

いよいよベトナムを去る時がきた。

南方引揚げ第一船の「リバティー号」に乗り、ハイフォンをあとにした。昭和二一年五月一二日のことである。

私は戦友のひとりに向かって、

「おい萩原、アメリカの奴ら、この船を太平洋の真ん中へ持っていって沈めてしまうんかな」と尋ねた。

「うん、そうかもしれんぞ」

「まあ、そうなれば運を天にまかすということさ。だけどポツダム宣言を受諾し

たんだから今さらそんなことはすまい」と私は言った。萩原は、

「それならいよいよ日本へ帰れるということか。何だか嘘みたいだな。俺はなあ、可愛い彼女がいたんだ。だけど三年間も音信不通だから、もうどうなったかわからないよ」

「なぜ便りをしなかったんだ?」

「頼りは出したが船だから着かなかったんだろ。返信がひとつもなかった」

「そうだな。手紙も来なければ後続部隊も来なかったな。いや、来ないわけじゃない、みんな途中で沈められたんだろう。だから俺たちは三年経っても初年兵だった。最後まで飯炊きだ」

「これも運命だな、歌でも歌うか」

♪波の背の背に　ゆられてゆれて
　月の潮路を　帰り船…

思い返せば身も凍るような出来事の連続だった。そんな思い出に浸りながら幾日

が過ぎた。

ある日、戦友のひとりが、

「あ、富士山だ、富士山が見えるぞ！」

みんな、バラ、バラと甲板に上がってきた。

「あ、見える、見える」

「とうとう、日本に着いたぞ」

「やっと、帰れるのか」と、ただただはしゃぐ戦友たちはまるで子供のように無邪気な顔をしている。誰の目にも涙が光っていた。


五月二七日、横須賀市の久里浜に上陸。アメリカ兵の検閲を受けた時には、敗戦将兵の哀れさを改めて感じた。そして、横浜から東京へ進む汽車の窓から外を眺めた時、私たちは愕然とした。文字通り、見渡す限りの焼け野原。

途中、線路の両側に人混みがある。何かと思ったら駅だった。ナマコのトタンを寄せ集めた掘っ立て小屋の駅に多くの人々が集まっている。中には、懐かしい日本の娘たちもいた。

だが三年前と雰囲気がだいぶ違う。スフ（代用織物）のピラピラしたものを着用、頭にも人絹《じんけん》の、すぐに色が褪めるようなネッカチーフをかぶってウロウロしているのが目に映った。そしてその中にはなんと、進駐軍と腕を組んで歩いている日本娘の姿もあった。

「あの野郎どもめ……」

出征する時には想像もしなかった光景を目にした時、得も言われぬ悔しさや惨めさが湧き起こってきたことを今でも覚えている。

その後、上野駅から信越線に乗った。やがて汽車は関東平野を過ぎ、碓氷《うすい》峠のアプト式機関車で急傾斜を上りながら軽井沢に出た。遅咲きの山桜がちらほら残っている。家並みも変わらない。浅間山も変わりなく、静かに煙が立ちのぼっている。小諸駅もそのままだ。

私はここで小海線に乗り換え、千曲川の流れを眼下に見ながら懐かしい故郷に帰って行った。

第一一、教育勅語の源流と近江聖人

さて、恐ろしい戦争の話はひとまず置くとしたい。

ここからは、民度が高いと言われてきた日本人の精神世界の源流を探ってみたいと思う。

さらには、明治維新以後、日本がなぜ欧米列強と肩を並べるまでに急成長していったのか。日清・日露戦争、満州事変、支那事変（日中戦争）、太平洋戦争の真実はどこにあるのか。関連して、韓国併合とは何だったのか。大和魂（大和ごころ）、道徳教育、武士道の真の役割はどこにあるのか。その点について順次述べてみたい。

欧米の人道とはキリスト教から生まれ、人の生きる道を説いている。

では、日本の道徳精神はいつ頃に発祥したのか。それは、三千年の歴史の中で日本国の一番乱れた時期、応仁の乱からはじまる戦国時代であった。強い者が勝つ、勝つ為にはいかなる手段を使っても恥と思わない。すなわち、斉藤道山の如き権謀術数に長けた者が持て囃《はや》された時代である。

群雄割拠の激しい時代、下剋上という弱肉強食の時代が百年間も続く中で、人々は骨の髄まで戦争の恐ろしさや虚しさを味わった。その戦乱の世を終わらせるきっかけとなったのが一六〇〇年の関ヶ原の戦いである。

やがて、徳川三代将軍家光の代になってようやく戦が治まり、平和の時代が訪れた。その結果人々の心にゆとりが生まれ、絵画や彫刻に目が向くようになった。と同時に、人間の生き方を繙《ひもと》く学問や文学が現れたのである。その中で特に優れていた文人が中江藤樹《なかえとうじゅ》（一六〇八～一六四八）であった。

藤樹は江戸時代初期の陽明学者だが、四〇歳の若さで世を去ったにもかかわらず、のちに「近江聖人《おうみせいじん》」と呼ばれるようになる。人間の生きる基本を学ぶ際にそのお手本と謳われた人物だったゆえ、多くの人々から讃えられるようになった。

中江藤樹は儒学と同時に「知行合一《ちこうごういつ》」（知の習得は実践と不可分である）を教え導いた人である。

親に孝行すること、社会に奉仕すること、父母の恩徳は天よりも高く、海よりも深しというのが藤樹の思想の中核を成すものだが、その考え方が五倫の心となった。それはやがて日本国中に拡まり、道徳教育の基本となる。その五倫の心が寺子屋を通じ充実したのが江戸時代の末期以降、いわゆる文化文政の時代（一八〇四〜一八三〇）であった。

藤樹は日本で初と言われる私塾を開き、「万民ことごとく天地の子」として士農工商の別なく学問を授けたことにより多くの門下生から慕われた。謹厳実直を絵にかいたような聖心な人物ゆえにやがて「近江聖人《おうみせいじん》」と呼ばれ、没後も光格天皇から「徳本堂」の号を賜り、現在は藤樹神社の中に祀られている。

藤樹は、人間は誰しも他人との比較において自分の幸、不幸を感ずる。しかしながら敬神宗祖《けいしんすうそ》の念を深く持ち、知行合一を旨とする地域の指導者のもと、皆が道徳教育の基本である「五倫の心」を持って生きる道を選べば、他人と比較して一喜一憂することも少なくなる、と説いた。

「五倫」とは儒教によってもたらされた徳であり、父子、君臣、夫婦、長幼、朋友の人間関係を大切にする思想。こういった精神というものは一八〇〇年代初頭の文化・文政時代あたりから萌芽し、大政奉還後の日本の精神教育の基本となり、「教育勅語」として昭和一三年まで正しく保たれてきた。

「教育勅語」と聞くとすぐに天皇と結び付けたがる人もいるが、元はと言えば小さな列島の中で育まれた日本人の生き方そのものである。そして、多くの哲学者や賢人らがそこから真理を学び取り、道徳教育の根幹となった。それを国是としたのが「教育勅語」であって、決して天皇が語られたものではない。

私事で恐縮だが、安政四年（一八五七）生まれの祖父にも「教育勅語」の精神が骨の髄まで宿っていた。私の一七歳の秋に八四歳で亡くなったが、日々繰り返される祖父からの厳しいお説教は今でも忘れない。今思えば、当時の学校教育と家庭の躾《しつけ》がしっかりと噛み合っていた事は驚きである。それらが我々の心に沁み込み、一生を支配している。

今は、教師と生徒と親が三つ巴《どもえ》で醜く対立するような時代になってしまった。正確に言うと「そういう国柄にされてしまった」ということだが、その顛末は後段で詳しく述べることにしたい。

ともかく、この文化・文政の道徳教育が日本教育の基本となり、大正九年から昭和一三年までの子どもたちはそれを「教育勅語」として体系的に教え込まれた。義理人情を重んじ、社会に貢献する事が人間としての最高の美徳だという考え方は、この時代に育まれたのだ。

日本人は縄文の時代から平和を尊び、助け合うことを大切にしてきた。そしてそれは大和魂（大和ごころ）として、日本人の奥深くに宿っている。

第一二、日本文化の危機と鎖国政策

ここでは開国か鎖国かで揺れた時代の話をしてみたい。

家康の外交に対する考え方は貿易を優先し、平和主義を尊重することであった。文禄、慶長の役以来、朝鮮とは国交を断絶していたので、家康は津島の宗氏を介して交渉し、国交を回復した。

慶長一二年（一六〇七）には朝鮮の使節が江戸を訪れ、今後は将軍の代替わりごとに慶賀の信使を日本に送ることなどが話し合われた。さらに日本の氏族でもある宗氏も朝鮮との貿易を行った。以降、朝鮮からの信使は十一代将軍家斉の時まで十二回来朝したが、一行の人数は三百人から五百人にのぼり、幕府はこれを丁重に待遇した。
寛永二一年（一六四四）、隣国の明《みん》王朝は満州において建国された清に滅ぼされた。日本の将軍、家光の時代である。その後、明は遺臣、鄭成功《ていせいこう》を日本に送り込み、明の復興を図るために度々救いを求めて来た。だが、幕府はこれに応じなかった。この往来の際に明の遺臣らが我が国に亡命し、帰化した人たちが少なくない。

中でも黄檗宗《おうばくしゅう》を伝えた僧隠元《そういんげん》、徳川光圀《みつくに》に招かれた儒者朱舜水《しゅしゅんすい》などは有名で、優秀な帰化人も多い。

清の商船も長崎港を介して貿易などは続けられた。また、ポルトガル、イスパニヤ、オランダ、イギリスの外国人も盛んに東洋に進出し、貿易を行うようになった。その後はオランダが貿易の大半を占めるようになり、巨額の利益を得ることになる。また、伊達政宗は家臣、支倉常長《はせくらつねなが》をイスパニヤの植民地であるメキシコに遣わし、交易を開こうとした。イスパニヤ王やローマ法王にも謁見したものと思われるが、間もなく江戸幕府が鎖国政策を取ることになり、彼らの目的は果たせなかった。

秀吉の頃になると、我が国の海外進出はさらに盛んになった。渡航者には朱印状が与えられ、それゆえに「御朱印船《ごしゅいんせん》」などと呼ばれたが、貿易が大いに許された。

相手国は、マカオ、安南、カンボジア、シャム、ジャワ、ルソン、ボルネオなど東南アジア全域に渡る。

わが国から輸出したものとしては、刀剣、漆器、屛風、扇、銅などであり、逆に相手国からは絹、南洋の香木、象牙、宝石、西洋の羅紗《らしゃ》、天鵞絨《びろうど》、硝子器などを輸入した。

また、交易が盛んになるにつれ海外に移住する日本人も多くなり、シャム、安南、ルソンなどには日本人の町が出来た。山田長政がシャムにおいて、浜田弥兵衛が台湾において、それぞれ勇名を轟かせたのはこの頃である。

西洋人が日本に渡来するに従って不法商人も増えていった。また、宣教師の中にも日本の道徳や慣習などを破壊しようとする者たちが現れるようになった。白人を中心とするヨーロッパの列強国がアジア諸国を次々と植民地化した時代。日本においても宣教師を使って乗っ取りを図る策謀が確かにあった。そういった宗教は「天主教」と呼ばれ、真相を見抜いた秀吉はこれらを嫌い禁教とした。家康もその方針を継いだが貿易は奨励した。よって宣教師の密航は絶えることなく、完全に禁教するには至らなかった。

貿易と禁教の両立が難しい事を悟った三代将軍家光は禁教を優先することにする。そしてまずは、イスパニヤ人の来航を禁じた。その方法は荒っぽく、五百石以上の大型船は破壊された。そして国内の取り締まりも厳重にし、改宗しない者には罪則の法を出した。

寛永一六年（一六三九）、幕府はポルトガル人を追放し、西洋人の渡来を禁じた。ただしオランダ人は天主教とは無関係との認識のもと、清国人と共に長崎にて貿易することが許された。長崎の支那人居住地を唐人屋敷《とうじんやしき》、オランダ人居住地をオランダ屋敷または蘭館《らんかん》といい、共に長崎奉行の監督下にあった。オランダ屋敷には、常に甲比舟《かぴたん》（東インド会社による商館長）が一年交代に駐在して貿易事務を掌《つかさど》り、交代ごとに江戸に上って将軍に謁見した。これをオランダ甲比舟の江戸参礼と呼ぶ。

さて、鎖国によって天主教禁制の目的は達したけれど、逆に世界情勢には次第に疎くなっていった。もっとも、二〇〇年の長きに渡って平和裏に鎖国が続いたことにより、国内産業の発展と国民文化の醸成は他国に例を見ないほど進んだ。その頃の基礎研究や発想された技術などは次第に精度を増し続け、戦後の高度経済成長となって開花することになる。

また、人々の教養面においても識字率や読解力は格段にアップし、人生に自信と誇りを持てるような人間社会が構築されていった。

家光の死後、実子の家綱が幼少期に将軍となった。保科正之が家光の遺命によって彼を補佐し、老中に酒井忠勝、松平信綱、阿部忠秋等を配し、良き政治が行われた。この頃に由比正雪《ゆいしょうせつ》の陰謀事件や明暦の大火などがあったが、危機管理が行き届いていたので大勢に影響はなく、正之が退いた後は、大老酒井忠清が政治を掌握し、安定した幕政は続いた。

家綱の後は弟の綱吉が五代将軍となり、実績ある大老の忠清を斥《しりぞ》けた。その理由はいまだ不明である。その後、綱吉は政治を柳沢吉保に任せ、自身はもっぱら奢侈《しゃし》宴遊《えんゆう》に耽《ふけ》るようになる。当然の結果として、幕政は大いに乱れることとなった。

ただし綱吉は意外と信心深く、仏教に帰依して江戸に護国寺をはじめ多くの寺院を建立した。また、嗣子《しし》（あととり）のないのを憂い、天下の悪法で名高い「生類《しょうるい》憐《あわれ》みの令」を発布して動物の殺生を禁じた。中でも自身が戌年《いぬどし》であることから最も犬を愛護したので、世人は彼のことを「犬公方《いぬくぼう》」などと呼び嘲笑した。

悪い事にこの時代、天災が続いている。運悪く綱吉の遊び好きと相まって財政も窮乏した。そこで、勘定奉行の荻原重秀を用いて貨幣を粗悪に改鋳した。その結果物価が高騰して庶民の生活はさらに苦しくなった。尚、文化面においては仏教が復興し、美術、工芸等は著しく進歩した。この時代を元禄時代という。

赤穂浪士事件などもこの時代だが、これは綱吉が柳沢吉保に政治を任せっきりにしたことが遠因にある。赤穂家はお家取り潰しということになったが、吉良を憎み、大石良雄らを支持する世論は渦巻いた。だが、その責任の大元は綱吉にあったのである。

その他にも、鎖国時代について特筆すべき点があるので列挙してみたい。

【農業】

封建制度は土地経済を基本としている。よって、幕府及び諸大名は専ら農業を重んじ、開墾を助成し、水利を図り耕作法を改めるなど、努めてこれを保護奨励した。よって、米をはじめ各種農作物は著しく増産となった。

【工業】

工業は手工業であったが、都市には優れた職人らがおり、農村でも副業的にこれが発達した。養蚕業の発達に伴って京都に西陣織り、両毛地方や米沢などでは絹織物業が興り、また、慶長の頃から綿の栽培が始まって木綿織業も各地で行われるようになった。

陶器業は朝鮮の役以来発展するようになり、各地で名品が多く出品されている。また漆器・金工業等においても極めて精巧な物が造られるようになった。

【伝統工業】

日本刀など、戦国時代には見られないような名刀が世間に広まったのもこの頃であった。

【鉱業および金、銀、銅の鋳造】

鉱山においては、佐渡、但馬、石見など諸国の鉱山を開いて金、銀、銅を採掘し、金座、銀座、銭座《ぜにざ》の制度を設けて金貨（大判、小判）、銀貨（丁銀、一分銀、二朱銀等）、銅貨などを鋳造し、諸大名には藩札の発行も許した。

【金融業】

金融面においても産業が盛んになるに伴って発展し、金融制度も整えられて行った。また、為替による送金法も設けられたので、各種の問屋・仲買が活気づき、商業も活発になって経済は大いに発展した。

【交通と宿泊】

交通網の整備は国家統一の要件であることから、早くからインフラ整備にも力を入れた。そして、従来の京都を中心とした交通網に加え、江戸を中心とする交通網が開かれた。そこには、諸大名の参勤交代や朝鮮信使の往来が整備を加速させたという事情もある。

当時、江戸より四方に通ずる東海道・中山道・日光街道・奥州街道・甲州街道を五街道といい、これらを幕府は最も重視した。これに対して、北国路・中国路・長崎路・伊勢路・水戸街道などを脇往還《わきおうかん》と称した。これらの街道は、両側に並木を植え、一里塚を築き、宿駅には問屋場があり、人馬を常備して旅人の用に供した。さらには本陣・脇本陣及び旅籠《はたご》があって宿泊の便をはかった。また、幕政は諸街道の要所に関所を設けて旅行者を取り締まった。

【輸送と通信】

輸送の中心は馬であり、大八車も定着していた。人を運ぶには駕籠《かご》も重宝された。通信機関としては幕府公用の継飛脚《つぎひきゃく》、諸大名が江戸と国元との間に設けた大名飛脚及び一般私用の町飛脚があり、後には金銭送達のための金飛脚《かねびきゃく》も出て来た。

【海運】

海運は瀬戸内海の航路のほか、この時代に江戸・奥州間の西廻り海運と東廻り海運が開け、沿岸航路は大いに発達した。国内河川の交通も進んだので、物資の運搬は極めて便利となり、商業も大いに発達した。

【まちづくり】

産業が栄え、インフラ整備が進むにつれ、諸大名の城下は政治・経済の中心として城下町が栄えるようになった。このほか、神社や寺への参拝客も増え、門前町、街道沿線の宿場町、沿岸航路の要となる港町、鉱山の所在地の金山町などの都市が全国各地に形成され、繁栄した。

その中において、江戸・京都・大阪は「三箇の都《さんがつ》」といわれて最も重要な都市であった。江戸は幕府所在地として将軍の居城をはじめ諸大名及びその家臣の邸宅があった。京都は昔からの皇居があり、政治の中心ではないが学問、宗教、美術、工芸等の中心としてステータスを保った。大阪は商業都市として栄え、諸大名の多くは大阪に蔵屋敷を設けて、米などの国産物資を売買した。その結果、商業の隆盛は江戸を凌ぎ、天下の台所と称えられた。

【財閥】

商工階級、即ち町人の地位が社会的に向上し、文化の発達に著しい影響を与えるようになった。また、日本全国に水陸交通が発達して商品の流通が旺盛になり、経済の発展で豪商が現れ、武士を圧倒する商人が出てきた。彼らは大阪や江戸の蔵屋敷に年貢米を回送して商人に払い下げ、金銀の貨幣を手に入れた。これにより貨幣経済が発達し、金融業務を扱う両替商の三井、住友、鴻池などが豪商に成長していった。

【武士と商人】

一七〇〇年代には、商工業者による同業組合として株仲間《かぶなかま》が結成され、運上《うんじょう》、冥加《みょうが》とよばれる営業税を上納するかわりに営業の独占を認められた。力をつけた商人は、経済的に困窮した大名や武士に対して、高利で金を貸すようになる。武士と商人の経済的な力関係は逆転しつつあった。

【学問】

公家の間にも学問に励むものが多くなった。後陽成《ごようせい》天皇は和漢の学に通じて、日本書紀（神代巻《じんだいかん》）・四書（大学、中庸、論語、孟子）等の勅版《ちょくはん》を刊行した。後水尾《ごみずのお》天皇は和歌・国学等をよく学び、後光明《ごこうみょう》天皇も儒学を好まれた。

家康は、天下を治めるには学問が最も必要であると考えてその復興に力を注ぎ、金沢文庫・足利学校の蔵書をはじめ、古書を求めてこれを刊行した。また儒者である藤原粛《すすむ》の門人、林羅山《らざん》（林信勝）を幕府の儒者として政教の顧問に据えた。このようにしてようやく学問が盛んになり、学者も輩出するようになった。

この様に、日本は鎖国政策を取ることによって、独自の文化や経済を発展させることができた。だが黒船来航でもわかる通り、弱肉強食のごとく他国侵略の思想を是とする欧米の大国から見て、「鎖国」はいつまでも許されるものではなかった。

アメリカのペリー提督は二年もの間、連続して日本に軍艦七隻で押し寄せ、不平等な日米和親条約を締結させている。その後、彼は安政三年（一八五六）七月に日本初の総領事となるタウンゼント・ハリスを送り込んだ。

そのハリスは、日本庶民の生活をつぶさに観察したことで知られる。

彼が安政四年（一八五七）に記した『日本滞在記』には、「日本の皆様はよく肥え、身なりも良く、富者も貧者もいない。これが恐らく人民の本当の幸福の姿と云うものだろう」と記されている。

彼の言葉に思いを馳せながらつくづく思う。

現代の日本における「黒船」はグローバリズムを掲げるグローバリストたちである。いわゆる多国籍企業や国際金融資本家たちだが、この勢力が恐ろしいのは、国境をないがしろにし、歴史ある国々の価値を認めないところにある。よって我々は大いに警戒感を持たなければならない。

日本人は外国人に友好的であり、それはそれで大切なことではあるが、外国人の考え方を無批判に受け入れる必要は無いと私は思う。

当時、総領事のハリスの眼には「日本人は幸福そうだ」と映った。鎖国というと閉鎖的に聞こえるが、日本人が本来持っている普遍的な幸福感というのは、多くはこの鎖国時代に培われたと考える。

長い年月によって醸成された「侘《わび》・寂《さび》」や「人情の機微」という日本人特有の精神文化は、いつの世までも大切に守り続けていかなければならない。

第一三、攘夷派と開国派の攻防

鎖国以来、西洋からの情報は途絶え、ほとんどの人々は「井の中の蛙《かわず》」状態に陥っていた。

そこで新井白石は「西洋紀聞《せいようきぶん》」、「采覧異言《さいらんいげん》」を著して海外の事情を国内に伝えた。将軍吉宗は西洋学術の実用性に惚れ込み、自ら天文、暦学《れきがく》などを修め、また青木昆陽《こんよう》等をして蘭学を学ばせ、洋書輸入の禁も弛《ゆる》めた。よって洋学が次第に盛んになった。当時、日本と国交のあったのはオランダのみであった理由から、西洋学術はオランダ語を通じて伝えられた。

青木昆陽の門人、前野良沢《りょうたく》は長崎に赴いて蘭学を学び、杉田玄白《げんぱく》らと共に刻苦して人体の解剖書を翻訳《ほんやく》し、これを「解体新書」と名づけた。また、大槻玄沢《おおつきげんたく》は良沢・玄白に就いて学び、「蘭学階梯《らんがくかいてい》」を著し蘭学の文法を明らかにした。

蘭学者の稲村三伯《いなむらさんぱく》は日本で初の蘭和辞典（波留麻和解《はるまわげ》）を編纂し、初学者《しょがくしゃ》らに多大の便宜を与えた。これら日本の優れた学者や知識人らによって、西洋の医学・天文・暦法・地理・兵学等の諸学術が研究され、国際事情も併せて庶民に知られるようになった。

寛永一六年（一六三九）から嘉永七年（一八五四）までの約二一五年間、日本は鎖国状態だった。その間に世界の情勢は激変した。

ヨーロッパでは、イスパニア、ポルトガルが衰退する一方、イギリスが隆盛を極めインド・東シナ方面にも勢力を広げ、日本にも南方から食指を動かしていた。ロシアはシベリアを併合させカムチャッカを占領する中で、北方よりわが辺境を窺《うかが》っていた。

独立以来、長足《ちょうそく》の進歩を遂げたアメリカ合衆国は東方よりわが国に迫る形となった。けれども残念ながら我が国は、こういった深刻な情勢を悟ることができなかった。

江戸後期の経世家（政治経済評論家）だった林子平《はやししへい》は早くからこれを察し、「海国平談《かいこくへいだん》」を著して海防の必要を訴えた。ところが幕府は、無断で国防を論じ、人心を惑わしたとして、寛政四年（一七九二）に子平が木版印刷に使っていた板木《はんぎ》などを没収し罰している。

その年、ロシア帝国の軍人だったラックスマンは、船が難破して漂流民となった大黒屋光太夫《だいこくやこうだゆう》という伊勢国の船頭らと出会い、彼らを保護しながら根室に到着。そして国書を呈して通商を請うた。ロシア帝国とすれば日本に初めて訪れた使節である。だが幕府は、自国の法では独断は難しい旨を説明し、通商のことは長崎に行くべきだと伝えた。そして、こういった日本の現状を知った幕府は海防の必要性を悟り、老中松平定信を擁して関東地方海岸の精密な地図などを作成し、頻繁に巡視するようになった。

文化元年（一八〇四）、ロシアは使節レザノフを長崎に遣わして通商を請うた。しかし幕府はこれにも応じなかった。だがこの頃からロシア人は、度々北辺の地に出没して日本国民に狼藉《ろうぜき》を働くようになる。

ロシアに次いで日本を訪れたのはイギリス人である。

その頃ヨーロッパでは、フランス大革命に続いてナポレオン戦争が起こり、オランダはフランスの属国となっていた。

イギリスはフランスを敵として海上に威を振るっていたが、文化五年(一八〇八)、イギリスの軍隊はオランダ商船を追跡する途中に突如長崎に乱入し、暴行をはたらいて遁《のが》れ去った。そのため、長崎奉行、松平康英《やすひで》はこの責任を負って自害したのである。

事ここに至って日本では、ロシア、イギリス両国人の度重なる狼藉を憤る中で、単に海防を論ずるにとどまらず、進んで打ち払うべしと唱える者が多くなった。幕府は従来の鎖国方針を堅持し、文政八年(一八二五)、遂に外国船打ち払いの令を発した。我が国に来航した外国船はいかなる国のいかなる船であるかを問わず、すべて打ち払うべきことを布告したのである。

さらに海防の必要性を痛感した幕府は、髙島秋帆《たかしましゅうはん》・江川坦庵《えがわたんあん》等をして西洋の兵器・戦術を研究させた。秋帆はオランダ人について兵学、砲術を学び、後に幕府の砲術師範となった。坦庵は伊豆に韮山反射炉《にらやまはんしゃろ》を築いて大砲を作ることになる。

また、佐久間象山も洋学を修めて砲術を研究した。この頃、諸藩主の中にも攘夷《じょうい》論《ろん》（他国を撃退して鎖国を守るという排外思想）を唱えて海防に留意するものが多かった。中でも水戸斉明《なりあき》は藤田東湖《とうこ》らを用いて弘道館をおこし、文武の教育を充実するとともに、熱心に攘夷論を主張して海防に努めた。また薩摩の島津斉彬《なりあきら》、佐賀の鍋島直正もいち早く西洋学術をとり入れ、軍艦をつくり兵器を改良して大いに海防に備えた。

我が国が上下を挙げて海防と攘夷に熱中していた頃、諸外国の事情に明るい蘭学者の中には、攘夷を排して開港を唱えるものがあった。渡辺崋山《かざん》、高野長英《ちょうえい》らは書を著しながら外国の打ち払いを不可と論じた。これにより幕府によって罰せられている。ちょうど、中国が阿片《あへん》戦争に敗れてイギリスに香港《ホンコン》を割譲し、賠償金を払って諸港を開いた頃である。

こういった情勢の中で、幕府も極端な攘夷は得策ではないと考えるようになった。そこで天保一三年（一八四二）に打ち払いの令を緩和し、漂着した外国船に限り、薪《まき》や水、食料を与えることまでは許すことにした。

アメリカ合衆国は太平洋の捕鯨業と東洋貿易を盛んにするため、我が国との修交を欲していた。そこで一八五三年（嘉永六年）、海軍の軍人であるペリー提督を日本に遣わした。ペリーは軍艦を率い、国書をもたらして浦賀を訪れ、修交および通商を求めた。幕府は大いに驚き、浦賀奉行の戸田氏栄《とだうじよし》を折衝役に任命し、久里浜で会見をさせたのである。奉行の戸田はひとまず国書を受け取り、翌年に必ず返答することを約束してなんとか帰還させた。

同年、ロシア帝国は使節プーチャチンが軍艦を率いて長崎を訪れた。通商と併せて千島・樺太の国境を確定せよと求めたが、幕府はこれも回答を延期して帰還させた。この様に外交関係が喧《かまびす》しくなってくるにつれ、困った幕府は従来の慣例を破って朝廷にお伺いをたて、諸大名にも意見を求めた。諸大名の多くは攘夷論を唱えたが、中には開港を主張する大名もおり、意見は一致しなかった。

かかる間に将軍家慶《いえよし》は死去、実子の家定が新将軍となった。そして安政元年（一八五四）、あのペリー提督が前年の約束に従い、軍艦を率いて神奈川港に入港した。幕府はペリーの高圧的な要求に対し、もはや断るという選択肢はなかった。しかし、朝廷からの返答がなく大いに焦った。ペリーは最新の蒸気軍艦ポーハタン号を旗艦とする計七隻の大陣容で迫ってきた。これらの艦隊が羽田沖まで進入し威嚇する中で、幕府は横浜村での会見を申し入れる。

幕府は林復斉《はやしふくさい》、井戸覚弘《いどさとひろ》を全権に任じ、会見に臨ませた。ペリーの強硬な態度に恐れをなした幕府側は、通商は拒否するものの、それ以外は認めることを提案した。初期の目的を達成したペリーはこれをあっさり受諾する。こうして、下田と函館の開港、燃料や食糧などの供給、難破民の救助と引き渡しなどを定めた日米和親条約が締結された。そしてその第一一条には、ペリーの意向により領事の派遣が盛り込まれた。これは、今後の通商交渉への布石であり、米国側に抜かりは無かった。

第一四、安政の大獄と桜田門外の変

日米和親条約締結から二年たった安政三年（一八五六）、アメリカ総領事ハリスが下田に到着した。そして翌年一〇月に江戸入城を果たしたハリスは、中国侵略を進めるイギリスの危険性を強調する一方、友好的なアメリカとの通商条約締結の意義を老中の堀田正睦《ほったまさよし》に説いた。

また、幕閣の中にも「貿易を行えば幕府が利益を独占できるので幕府再興が容易になる」と主張する者たちも現れるに及び、堀田はハリスとの交渉を決断する。

しかし、幕府は近代的な交渉の要諦を充分理解していなかったこともあって、関税自主権を訴えることもせず、更には治外法権すらも認めてしまうような内容となり、アメリカに一方的に有利な条約となっていた。

堀田は条約締結に関する朝廷の勅許《ちょっきょ》を得るため、京都に乗り込んだ。しかし攘夷に固執する朝廷を説き伏せることはできなかった。朝廷と各藩大名の協力を得て国難に対処しようとする幕府の計画は暗礁に乗り上げる形となったのである。

そんな中、折しも将軍家定に子がいなかったことから、御三卿《ごさんきょう》・一橋家の慶喜《よしのぶ》を推す一橋派と、紀伊藩の慶福《よしとみ》を推す南紀派の対立が起きた。越前藩主松平慶永《まつだいらよしなが》、薩摩藩主島津斉彬《しまづなりあきら》、土佐藩主山内豊信《やまのうちとよしげ》（容堂）らは、英明な慶喜を擁立して幕政を改革し、難局を切り抜けようとした。

一方、将軍家の血縁と幕府の権威回復を重視する南紀派は、将軍家定らに働きかけて彦根藩主井伊直弼《いいなおすけ》を大老に登用し、これに対抗した。慶喜の実父であり、尊王攘夷論者である徳川斉昭《なりあき》の権力伸長を恐れる家定（のちの家茂）は、慶福《よしとみ》の将軍継嗣《けいし》を決定した。

さて条約の話に戻すが、井伊直弼はハリスの高圧的かつ強引な交渉に押し切られ、天皇の勅許を得ないまま日米修好通商条約に調印してしまった。その後、この不平等条約は四〇年間続くことになるが、いずれにしても時の政局は大激変が起きることになる。

調印してから五日後の安政四年（一八五七）六月二四日、一橋派の松平慶永、水戸藩主徳川慶篤《よしあつ》と前藩主斉昭《なりあきら》、尾張藩主徳川慶勝《よしかつ》、一橋慶喜《よしのぶ》らは、大挙して江戸城に登城し「違勅《いちょく》調印」した井伊直弼らの責任を追及した。

これに対し井伊は、違法な登城として一橋派の大弾圧に乗り出した。いわゆる安政の大獄である。反井伊派の公家、幕臣、藩士ら十数人を処刑。その中には吉田松陰、橋本佐内、梅田雲浜《うめだうんぴん》、頼三樹三郎《らいみきさぶろう》などが名を連ねている。

通商条約の調印に続く安政の大獄は、尊王攘夷派の反発を招いた。とりわけ尊王に最も重きを置く水戸学の膝元水戸藩では、直弼に対する反発が異様に高まった。

安政六年（一八五九）三月三日の朝、江戸は時ならぬ春の雪に見舞われていた。彦根藩邸を出立し、登城の途にあった大老一行約六〇人が桜田門外に差しかかったとき、銃声を合図に抜刀した一団が行列に向かって襲いかかった。脱藩した水戸浪士十七人と薩摩藩士の一人、計十八人による襲撃である。これを「桜田門外の変」

という。

ピストルによって腰を撃ち抜かれた直弼は、駕籠《かご》に乗ったまま首を切られた。その拳銃は皮肉にも、ペリーが幕府に贈呈したコルト銃だったという。護衛の士たちは帯刀してはいたが、雪から身を守る雨合羽と刀を覆う柄袋《さやふくろ》にさえぎられ、刀を抜く間もなかった。

この事件によって幕府の権威は一気に衰え、逆に尊王攘夷派の勢いが増した。直弼の後任となった老中安藤信正《あんどうのぶまさ》は、公武合体の策を立て、朝廷の御威光をかりて事態を収拾しようとした。その手法は、将軍家茂に皇女である和宮《かずのみや》を嫁がせることであった。皇族の女性が臣下の男性の元に嫁ぐことを「降嫁《こうか》」と呼ぶが、結果的には信正の願いが朝廷に届き、勅許を得ることになる。そして文久二年（一八六二）、ついに内親王和宮は中山道の長い旅を経て幕府に嫁入りしたのである。

しかし、このことを知った尊王攘夷派は非常に憤激した。そして和宮が嫁いだと同じ年、信正は坂下門外で志士の襲撃を受け、傷つき、辞職に追い込まれた。これにより、幕府の威信はますます衰えて行った。

文久三年（一八六三）八月十八日、禁裏《きんり》九門《きゅうもん》の一つ堺町《さかいちょう》御門《ごもん》の警護にあたった長州藩が、突然その任を解かれた。長州藩の過激派が尊王派公家と内通し、倒幕を計画していたことが露見したからである。長州藩の解任は、公武合体の薩摩藩が京都守護職にあった会津藩と通じ、尊王攘夷派を京都から一掃しようとして起こしたクーデターであった。これを「八月十八日の政変」という。

この政変により、三条実美《さんじょうさねとみ》ら尊攘派七人が京都を追放され、長州へと逃れた。世にいう「七卿落《しちきょうお》ち」である。これを境に長州、薩摩両藩の関係は、いったん断絶状態となる。そしてそれに代わって宮門の警備は会津、薩摩の二藩がその任に当たった。

翌年元治元年七月、長州藩の老臣福原越後《ふくはらえちご》は藩主及び七卿の罪を許してもらうため、兵を率いて上京し宮門に迫った。だが、会津と桑名の二藩は蛤御門《はまぐりごもん》で応戦し撃退した。幕府は勅命を奉じ長州征伐の軍を起こし、尾張前藩主徳川慶勝《とくがわよしかつ》を総督として諸藩に兵を発した。だが、長州藩主毛利敬親《もうりたかちか》は福原などの首謀者を斬り、恭順の意を表したので、ようやく幕府は軍を引き揚げた。だが長州藩の高杉晋作ら主戦派はこれを喜ばず、ついに藩論を動かし、再び兵をあげた。そこで幕府は慶応元年(一八六五)、長州再征の軍を発し、将軍家茂みずから大阪城に出陣してこれらを説得した。

しかしこの頃すでに土佐藩浪士坂本龍馬の斡旋によって薩摩・長州二藩の連合が成立していたので、薩摩藩は出兵を拒み、芸州藩《げいしゅうはん》もまた動かなかった。このため幕軍は士気が上がらず、各地で敗戦する有り様となった。

慶応二年（一八六六）、家茂が大阪城で亡くなった。その事態を受け、勅命によって休戦が実現し、慶喜《よしのぶ》が将軍となった。

尚、第一次長州征討が長州藩の謝罪降伏で終結した裏には、幕府軍参謀の薩摩藩士西郷隆盛の配慮があった。征討に先立ち西郷は幕臣軍参謀の勝海舟と会談。その際、公武合体の限界と雄藩連合による新政権の実現を説得された。一時は長州藩撃滅を決意した西郷だが、勝海舟の意見に従い長州藩の温存を図ったのである。

「八月一八日の政変」以来、宿敵となった薩摩・長州両藩の連合を実現に導いたのは、土佐藩浪士坂本龍馬と中岡慎太郎であった。

慶応二年（一八六六）四月、長州藩の武器密輸を理由に再び幕府が征長の途についたとの報が届くと、坂本と中岡は両藩和解工作を開始する。その必死の説得が功を奏し、翌年一月ついに長州藩の桂小五郎（のちの木戸孝允《きどたかよし》）と薩摩藩の西郷隆盛の会談が実現。両藩は軍事同盟を締結して、反幕府の立場を鮮明にしたのである。

薩長同盟の取り決めの中には、「再び幕長戦争が開戦したときには薩摩藩は参戦しないこと」、「長州藩が必要とする軍事物資は薩摩藩名義で外国から輸入すること」などが明記された。これによって長州藩は軍備増強を図ることができた。

慶応三年（一八六七）六月、幕府軍が芸州口、大島口、石州口、小倉口の四方から長州攻撃を開始。第二次長州征討の戦端が開かれた。長州軍は高杉晋作、大村益次郎らの活躍で勝利を重ねる。勝因はやはり圧倒的な軍事力であった。長州軍が最新式の銃を備え、洋式銃陣を敷いたのに対し、幕府軍は戦国以来の火縄銃による集団戦術を採った。また、長州軍が四国連合艦隊との戦いを経験していたのに対し、幕府軍には実践の経験がなかったことが敗因として挙げられよう。

七月、将軍家茂の急死を機に薩摩藩から征長中止が建白される。朝廷内にも中止を求める声が高まり、八月、勅命により休戦が成立した。

第一五、大政奉還

家茂の死によって幕府は徳川慶喜を十五代将軍に迎えた。だが、「幕府の権威は地に落ちた」と見なした薩摩藩の西郷隆盛や大久保利通らは、倒幕派の岩倉具視《いわくらともみ》に働きかけ、武力での倒幕を目論んだ。

倒幕派と幕府が対立する中、仲介役を買おうとしたのが土佐藩である。前藩主山内容堂の腹心である後藤象二郎は、坂本龍馬の立案した新国家構想「船中八策《せんちゅうはっさく》」を基に大政奉還を幕府に建白。その主旨は、天皇の下《もと》で大名らの合議による政権を樹立することであった。

一方土佐藩は、薩摩藩と「薩土盟約」を締結し、大政奉還の実現に向け協力を誓い合った。薩摩藩にとっても、いざ倒幕となった場合の同盟者が必要だったからである。明治元年（一八六八）一〇月一三日、岩倉の工作が実り、ついに薩摩藩に「討幕の密勅」が降下される。翌日には長州藩にも降下されるが、同じ一四日には、将軍慶喜から大政奉還が奏上された。慶喜の構想は、いったん朝廷に政権を返上した上で、新たな政権のもとで盟主となり行政権を行使しようとするものであった。

天皇は大政奉還を受け、一〇月二一日「討幕の密勅」の取り消しを布達した。これにより、十五代に亘る徳川幕府は二六五年の幕を閉じ、鎌倉幕府以来六八〇年に亘る武家政治も終焉を迎えた。そして世は、再び皇国本来の姿、天皇親政に立ち帰ったのである。ここで注目すべきは、このような大事が朝廷ではひとつも兵を動かすことなく、平和裏のうちに行なわれたことである。

第一六、明治維新

慶応三年（一八六七）十二月九日、朝廷は王政復古の大号令を発し、神武天皇の創業の始に基づいて一新の政治を行うべき旨を諭した。そして摂政、関白、征夷大将軍等の官位を廃し、新たに総裁、議定、参与の三職をおき、有栖川宮熾仁親王《ありすがわのみやたるひとしんのう》を総裁とし、親王、公卿、諸藩主より議定を、公卿、諸藩士より参与が選任された。

つまり天皇は、御自ら万機に悦見することとなったのである。ところが明治元年（一八六八）一月三日、京都南部の鳥羽・伏見で旧幕府と薩摩・長州を中心とする新政府軍との衝突により戊辰《ぼしん》戦争が勃発してしまう。その初戦が鳥羽伏見の戦いだが、原因は新政府に反発した会津・桑名などの諸藩が徳川慶喜を押し立て、薩長討伐に立ち上がったからである。

　将軍の地位にあった慶喜は京都二条城に住まっていたが、新政権からの待遇は冷たく、内大臣の官も辞職させられ、領地もことごとく返納するよう通達があった。旧幕臣及び会津・桑名の二藩は、これは薩摩・長州二藩の専横《せんおう》独裁だと非難し大いに憤った。さらに江戸においては、薩摩藩の浪人の横暴に憤激した旧幕臣等がその藩邸を焼き打ちする事件も起きた。

　この情報が大阪に達するや、慶喜も意を決し明治元年（一八六八）正月、薩摩藩討伐の上表文《じょうひょうぶん》を捧げ、兵を率いて入京しようとしたのである。薩摩・長州二藩の兵はこれを鳥羽、伏見（京都市）で迎撃したが、旧幕府軍は新政府軍の近代兵器の前に敗れ「朝敵」として追われることになった。

　晴れて官軍となった薩長軍は、京都を出発し、三月には江戸へと迫った。慶喜の軍は敗れて大阪に退き、松平容保《かたもり》らと共に海路江戸に帰った。

　朝廷はさらに有栖川熾仁親王を征東大総督に任じ、西郷隆盛を参謀として諸般の兵を三道（東海、東山、北陸）より江戸に向かわせた。この時に慶喜は、外国からの干渉を恐れ、旧幕臣らの「戦うべし！」といった主戦論も斥け、上野の寛永寺に閉じ籠って謹慎していた。そして、ひたすら恭順の意を表し、勝安芳《かつやすよし》（海舟）らを仲介役に立てて隆盛らに謝罪している。

また十四代将軍の職にあった家茂の夫人静寛院宮《せいかんいんのみや》も、朝廷に対して徳川家の存続を必死に願い出た。そこで朝廷は慶喜を殺すことなく水戸に蟄居《ちっきょ》させ、江戸城及び軍艦、兵器などは没収したが、徳川宗家を継承させるため、徳川御三卿の田安家《たやすけ》らに駿河、遠江において七十万石を与えた。

西郷隆盛と勝海舟の会談により、江戸城は無血開城となった。江戸は焼け野原になる事を免れ、江戸城は朝廷（新政府）に無傷にて明け渡された。しかしその裏には前述の如く、悲しくも麗しい人間ドラマがあったのである。

ところが、旧幕臣の一部は慶喜の恭順を喜んではいなかった。そして彰義隊《しょうぎたい》を結成し、輪王寺宮公現法親王《りんのうじみやくげんほうしんのう》を奉じて上野に兵を挙《あ》げ、大鳥圭介《おおとりけいすけ》は下総より転じて宇都宮に拠点を構え、松平容保は会津若松の城に立て籠り、奥州諸藩は同盟して奥羽《おうう》越列藩同盟《えつれっぱんどうめい》を結び、激しい戦いを繰り広げた。しかし、新政府軍の猛攻で次々と陥落し、九月には会津藩も降伏した。

榎本武揚《えのもとたけあき》は軍艦を率いて品川湾を出港し、大鳥圭介らと函館の五稜郭に立て籠って激しく応戦したが、朝廷は海陸の軍を進め、明治二年（一八六九）五月、旧幕府軍は遂に降伏に至った。

鳥羽、伏見の戦いより一年八ケ月続いた戊辰の役はこれを持って終わりを告げた。明治天皇は、王政復古の大号令がなされてから間もなく、明治元年（一八六八）三月、群臣（多くの臣下）を紫宸殿《ししんでん》に集め、天神地神《てんじんちじん》を祭って五箇条の御誓文を宣《の》べ給うた。つまり明治天皇が新政府の進め方や目標を神々に誓ったわけだが、その内容は次の通り。

一、広ク会議ヲ興コシ万機《バンキ》公論ニ決スベシ。
（物事を決める時には広く会議を開き、国家の政治は正しい意見に従って決めましょう）

一、上下心ヲ一ニシ盛ニ経論ヲ行フベシ。
（身分など関係なく、心をひとつにして国を治めていきましょう）

一、官民一途庶民ニ至ル迄　各《オノオノ》其志ヲ遂ゲ人心ヲシテ倦《ウ》マザラシメンコトヲ要ス。
（政府や武士、国民に至るまでそれぞれが志や責任を全うし、お互いがやる気や希望を失わないように頑張りましょう）

一、**旧来ノ陋習《ロウシュウ》ヲ破リ天地ノ公道ニ基ヅクベシ。**
（これまでの悪い風習や習慣を捨て、国際社会に歩調を合わせ、国際法を守ることを基本に物事を進めよう）

一、**知識ヲ世界ニ求メ大《オオイ》ニ皇基《コウキ》ヲ振起スベシ。**
（新しい知識を世界から学び、天皇を中心に、日本のこれまでの伝統を大切にして国を発展させましょう）

天皇は自ら率先してこの五箇条を守り、一切の政策は皆この聖旨によって行われることを誓ったのである。

この年、江戸は東京と称されるようになり、即位の大礼を挙げた。そして慶応四年（一八六八）を明治元年とし、新たに一世一元制を敷く。

また、版籍奉還と廃藩置県、同年、大宝令によって官制を改め、神祇《じんぎ》、大政の二官を設け、太政官に大臣、参議等をおき、民部、大蔵、兵部、刑部、宮内、外部の六省に分けて政務を分掌した。

中央官制と共に地方の制度も次第に整えられた。初め朝廷は旧幕府及び旧幕臣の領地を没収して府・県とし、知事を置いて治めようとした。ところが各藩は相変わらず藩主が土地や人民を支配していたので、政治的統一を図ることに難儀した。

大久保利通、木戸孝允らはこういった事態を大いに憂いた。そこでまず、薩摩、長州、土佐、肥前の四藩主を説得した。それが功を奏し、明治三年（一八七〇）、島津忠義、毛利敬親《もうりたかちか》、山内豊範《やまうちとよのり》、鍋島直大《なべしまなおひろ》の四藩主は連署して版籍の奉還を奏請《そうせい》し、諸藩もこれに倣った。朝廷はこの請を許し、しばらくの間は旧藩主を知藩事に就かせることにより旧領を治めさせた。

こうして、封建制度は完全に消滅し、人民および土地等はことごとく朝廷に帰することとなる。

ただし、府・県・藩の面積や区画などは一様ではなく、知藩事と藩民との関係は依然として主従の情実を免れ難く、政治上の弊害も多かった。そこで明治四年（一八七一）、廃藩置県を断行し、全国を三府七二県とし、府には府知事、県には県令を置いて治めた。これにより、ようやく名実共に中央集権の体裁が整い、明治維新の制度改革は終了した。

その後、府・県の統廃はしばしば行われ、明治二三年（一八九〇）には三府・

四三県となったのである。

第一七、不平等条約の改正は明治政府の悲願

欧米人はよく「弱肉強食の狩猟民族である」といった言われ方をする。よって、かつては相手の国を侵略することは「自然の法則」であり「悪」ではないという意識が強く、侵略行為を非難する世論も大きくはなかった。

事実、西欧諸国は未開の地を襲い、先住民族の領土を競って奪い支配してきた。その現実を知った日本は、「明日は我が身」で底知れぬ恐怖を感じていたのは確かである。

結果的に日本はどこの植民地にもならなかった。しかしながら幕末から明治維新にかけて、アメリカ、フランス、イギリス、ロシアなどと不平等な条約を締結させ

られていたのは事実である。軍事力で劣る日本は、とにかく外交力を強化して国を護るしかなかったわけだが、欧米列強からの外圧は日増しに強くなっていった。

そこで日本は、西欧諸国の政策や戦略を知る必要があるとしてその研究に入った。政府は諸外国との友好を深める戦略を立て、明治天皇は各国公使を紫宸殿《ししんでん》に招き、明治三年（一八七〇）よりイギリス、フランス、ロシア、アメリカの公使を駐留させることとした。

明治四年には右大臣の岩倉具視《ともみ》を特命全権大使、参議の木戸孝允、大蔵卿の大久保利通、工部卿《こうぶきょう》の伊藤博文、外務少輔の山口尚芳《ますか》らを副使として欧米諸国に遣わした。

岩倉調査団の一行は、欧米の文物《ぶんぶつ》制度（文化・芸術・学問・宗教・法律など）を視察した。だが、それと共に、江戸幕府が諸国と締結した通商条約の不平等の是正という大きな難問を解決しなければという決意も心に秘めていた。

大使一行は一四ヶ国をくまなく視察して明治六年には帰国したが、欧米諸国との交流は親密度を増した。視察の結果として得られた知見は、イギリスは王室もあり、アメリカより日本的な趣が強いとした。フランスの場合は自由民権の戦いなどから自由化の行き過ぎを恐れた。ドイツは比較的範とするところが多いとも受け止めた。しかし、日本にとってどこの国を模範とし友好関係を結ぶべきかを判断した時、決定打はなかった。やはり西欧諸国の植民地政策は日本政府にとって受け入れがたい発想だったのである。

日本が外国の植民地から避けられる道は真心こめて外交を展開することであった。しかし、欧米列強は有色民族を隷属視《れいぞくし》して何百年間も植民地政策をとってきた。それだけに、外交官の国防における努力は一方ならぬものがあった。しかし結果的に不平等条約の是正はできなかったのである。しかも、この不平等条約の是正が成されたのは日清・日露の戦いが終結を迎えてからだった。

第一八、岩倉使節団と富国強兵

三年がかりで欧米を回った岩倉調査団が特にその必要性を痛感したのが、「国力増強」である。しかも欧米から見た日本人は、丁髷《ちょんまげ》に和服、裸に褌《ふんどし》姿で「野蛮な未開人」に映った。それでは外交の妨げになるということで、政府は官礼服を洋服にし、明治四年（一八七一）には散髪脱刀令が出され、丁髷も改めさせた。

また、どんなに外交努力をしても、国力や武力が弱ければ相手にされない。そこで政府は、富国強兵を進めて近代国家の建設を急いだ。具体的には、近代産業の保護、育成を行うために殖産興業政策を推進した。その一環として、輸出の花形である製糸や軍需における近代的な工場を各地に設立。さらには、旧幕府や諸藩所有の鉱山を買い取り、外国人技師を雇い、最新の設備を導入して近代化を進めた。群馬県の富岡製糸場なども、そういった時代背景があるゆえに世界遺産に指定されたのである。

また、通信網の整備として近代式郵便や電信を取り入れ、さらに鉄道や蒸気船などの交通網が全国に急速に整備されていった。

教育面においては、例えば明治天皇は学問の振興に力を入れられ「家に不学の人無く、村に不学の人なからしめる」とのお考えのもと、明治六年に「学制」が公布され、義務教育の徹底が図られた。

また、それまでの太陰暦を廃して太陽暦を採用した。明治五年（一八七二）一二月二日の翌日を明治六年一月一日として、今日に至っている。

このように欧米の文化、文物が大量に流入したため、特に大都市圏では洋服や洋風建築、洋食などが人々の暮らしにも大きな変化を与えた。

政府は近代化政策を実行するにあたり膨大な財源を必要とした。そこで新しい政策として、田畑勝手作許可《たはたかってさくきょか》を打ち出し、田畑の永代売買禁止の令を解くなどの措置を講じながら、明治七年に地租改正条例を公布した。地租改正の内容は、土地（地券）所有者に、金納、定額で地価の三％の税金を納入させる。これによって政府は、安定した財源基盤と近代的な土地所有権を確立することに成功したのである。

明治六年には徴兵令が発布された。古くから「兵」と「農」が分かれていたのを改め、我が国太古の制度と西洋諸国の制度とを参酌《さんしゃく》して国民皆兵の制を確立し徴兵《ちょうへい》が行われるようになった。

明治三年には平民苗字許可令が出され、武士と貴族にのみ与えられていた特権が平民にも与えられた。また、華族、士族、平民との結婚も認められ、農、工、商などを営むことも自由となった。なお、僧侶の肉食、妻帯の禁が解《と》かれたのもこの頃である。明治六年には親の仇討ちや復讐《ふくしゅう》が禁じられ、天然痘《てんねんとう》予防の種痘《しゅとう》も行われるようになった。

第一九、朝鮮の近代化に心血を注いだ日本

明治八年（一八七五）、時の政府は外務省の森山、広津の両名を朝鮮に派遣し、旧交を復活し和親交渉を行わせている。だが、交渉は一向にはかどらなかった。森山は交渉を進展させるため、対馬近海を測量するという名目で軍艦の派遣を政府に要請した。実際、三隻の軍艦が西海岸を測量している。その後、中国東北地方の牛荘《にゅう ちゃん》に向かう途中、江華島《こうかとう》近くで飲料水を求めようとしたところ、朝鮮の砲台から攻撃を受けた。この件に対して日本政府は損害賠償などは要求せず、その代わりに、日本国と朝鮮国との修好条約を締結したのである。この時の特命全権弁理大臣は黒田清隆であった。条約は第一巻から一二巻まであり、最後に「以て双方とも安寧を

永遠に期すべし。」と書いてある。

こうして朝鮮の近代化は日本の支援で進められることになる。

ところが条約締結後七年を経た明治一五年（一八八二）、「壬午《じんご》の変」が京城《ソウル》で起きた。

国宝李太王《りたいおう》と閔妃《びんひ》一族の前に、引退したはずの大院君が再び現れて、反閔、反日運動を展開したのである。当時、旧制兵士の給与が遅配となり、しかもそれが米で支払われていたということが暴動の原因となった。暴徒たちは王宮にも攻め込み、閔《びん》氏の諸家などを襲った。閔妃は脱出に成功したが一族の数名は殺害された。この時、別技軍（護衛隊）の指導的立場だった陸軍少尉堀本礼造《ほりもとれいぞう》は殺され、日本人十数名も殺傷。花房義質《はなぶさよしもと》公使らは仁川《いんちょん》に逃れた。

だがこの事件は、日本に朝鮮進出の口実を作らせた。花房公使一行が京城を出るや、すばやく清国の馬建忠《ばけんちゅう》が大兵五千人を引き連れて京城へ堂々と入った。馬が花房に「清国は朝鮮をずっと昔から属国と考えていたので、必要な時には保護するのは当然だ」と言った。これに対し花房公使は、「我が国が条約によりこの事件を処理する」と突っぱねた。その後も内乱はあったが、独立党政府は三日天下で終幕となった。

そして最終的には、外務大臣である井上馨が朝鮮に出向いて五箇条を要求し、朝鮮は謝罪したうえで賠償金を差し出し、凶徒は刑に処され、一応は決着したのである。

また、清国へは当時宮内大臣だった伊藤博文が全権大使として派遣され、天津で清国の李鴻章《りこうしょう》と談判し、強硬に申し入れを行った。日本はあくまでも朝鮮を独立国とみなしているので、「一二月六日の変」に兵隊を指揮した清国将官を罰することと、京城駐兵を本国に撤退させる二点について要求した。清国側は異議なくこれを受け入れた。それは「一二月六日の変」が影響している。清国側はこの時に二千人の兵を出し、日本の公使館を焼き払い、陸軍中尉磯林《いそばやし》真三《しんぞう》以下三九名を殺傷し、さらに婦女子に暴行を加え凌辱したからである。異議など許されるわけがない。

一方、朝鮮に対するロシアの考えは、厳冬期でも凍ることの無い港が欲しいという理由から、満州及び朝鮮にその地盤を築こうと大望を抱いていた。だがイギリスはすでにそのことを知っていたのである。

明治一八年（一八八五）四月、イギリス艦隊は突如、朝鮮の巨文島《こむんとう》を占領した。

これはロシアの南進攻政策《なんしんぜめ》に対する牽制だった。するとロシアは「イギリスの不法な占領を朝鮮政府が許すなら、ロシアもまた適当な土地を占領する」と抗議した。朝鮮は清国に泣きついた。清国はどうにか両国の言い分を納め、イギリスは巨文島から撤退し、ロシア公使ウェーベルも明治二三年に京城を出ていった。だがその後も朝鮮は内乱が起き、日本としても何とか国として独立できるよう朝鮮に対して懸命にアドバイスをした。だが結果的に朝鮮は清国の指図に従い、それにより朝鮮の立場は日々悪化していったのである。

第二〇、日清戦争はなぜ起きたか

その後、朝鮮では悪政が続き、明治二七年（一八九四）には「東学党《とうがくとう》の乱《らん》」が起きた。これは「東学」という民衆宗教の信徒らが中心となって起こした農民の反乱である。

「当国政府内の紊乱賄賂《びんらんわいろ》の横行甚だしきこと、権臣《けんしん》は申すに及ばず国王といえども権吏金穀《けんりよりきん》を勧索《かんさく》して賞罰をほしいままにすることは決して日本人の推量に能《あた》わざるところとなり、内外政治萎靡《いび》上下人心の腐敗極度《ふはいきょくど》に達せしこと、かつて類なきに到り、之を見聞すれば事々物々安外に出でその類幣《るいへき》筆紙の尽くすところにあらず。近来、国民中にて多少志ある輩《もの》は革命《かくめい》を希する者、すこぶる多き由なり」という状況になった。

このような朝鮮国の乱は、すでに条約を結びお互いに末永い安泰を約束した日本にとっては放置することのできない隣家の大火である。だがそもそもの原因は清国が朝鮮のことを「大国」だなどと心にもない嘘を吐き、そのくせ属国扱いにしていたからであった。その結果、朝鮮人の人心は乱れ、経済は困窮を極め、犯罪は増え続けた。つまり、革命が起きても全く不思議ではない状況に陥ってしまったのである。見かねた日本は、日清両国が協力して朝鮮の政治を改革し、永く東洋の平和を確立すべきと提議したが、清国は「余計な口出しはするな」と言わんばかりにこれに応じなかった。そこで我が国は独力で朝鮮の改革を行うことを決め、国王の同意を得て改革に着手した。だがその間に、清国はますます軍隊を増強して日本を脅かし、明治二七年七月、ついに豊島沖《ほうとうおき》において両国艦隊は激突。次いで陸軍も成歓《せいかん》、牙山《がざん》において砲火を交え、八月、清国に対し宣戦を布告するの已《や》むなきに至った。

しかし、「東洋の虎」と恐れられている清との戦いであるだけに事は慎重に進めなければならない。政府内では議論が尽くされ、閣議で陸奥宗光が第一声を発した。

「もし、清国が何らかの正統な理由なしに朝鮮に軍隊を派出した場合は、我が国も間髪を入れずにそれ相応の軍隊を派遣し、朝鮮における両国の権力の平均を維持しなくてはなるまい」

この意見には各閣僚が賛成した。伊藤博文は陸奥の意見に大いに賛同したが、この時点では武力行使よりも平和裏での解決を図ろうとしていた。

陸奥の清国への返答は立派なものであった。「貴簡中、保護属邦の話、相見えおり候処《そうろうところ》、帝国政府に於ては、未だかつて朝鮮国を以って貴国の属邦とは認めており申さずにつき、この段で回答かたがた、言明致し置き候」と答えたのである。

宗光は、明治元年に日本が各国との不平等条約を次々と調印したのを見て遺憾に思っていた。そこで一念発起し、他藩の志士とも積極的に交わり、星亨《ほしとおる》からは英語も学んだ。

明治元年（一八六八）、宗光が二三歳の時、対露外交のため函館勤務を命じられた。ところが彼は対露の軟弱な外交に怒り、辞表を出して江戸に戻ってしまった。この一件からも日本がロシアの言いなりであったことが伺える。

領土問題についても、ロシアは油断も隙も無い。例えばロシアは「樺太を露国の領土とする。それを認めぬならしばらく両国の共有地にする」といった論を立てる。

しかし「しばらくの共有地」というのは期限を切っているわけではない。詐欺のような話だが、同じようなものだ。結局、今でも全樺太はロシアに占領されたままである。

「自国民をより多く送り込んだ側が勝ち組となるのか？」宗光青年はロシアの振舞いを見て歯ぎしりをした。そして、このような屈辱的な条文を認めた政府当局への不満と怒りは収まらなかった。そこで彼は「せめてロシアへの対抗上、日本も植民地政策とアイヌ保護に重点を置いてはいかがか」と提案した。こういった強気の姿勢というものは、外交上においても必要である。

メキシコと対等条約を締結したのも、或いは各国との不平等条約の改正や朝鮮問題の解決も、結果的には陸奥宗光の力に寄るところが大きい。

さて、明治二七年（一八九四）八月一日、本格的に日清戦争が始まった。

日本は国内での議論をひとつにまとめ、九隻の軍艦と一旅団の兵を朝鮮に派遣した。

清国への派兵は内乱を鎮圧し鎮静化させるためであり、公使館、居留民の保護とも併せ、大義名分が立つ。李鴻章《りこうしょう》は駐清露国公使に激励され、戦意を露わにし、平壌《ピョンヤン》に陸路大軍を送った。さらに英船を借用し、砲兵、歩兵の将卒一五〇〇人を輸送し、軍艦がこれを護送した。

先発には済遠《さいえん》、広乙《こうおつ》との二艦を配したが、この二艦は鉢合わせになった。清の済遠《さいえん》の大砲は礼砲と思いきや、この一発によって大戦が始まったのである。この一戦で済遠《さいえん》は威海衛《いかいえい》に逃げ帰り、広乙《こうおつ》は暗礁《あんしょう》に乗り上げてしまった。この海戦を知らずに訪れた清の操江《そうこう》と髙陞《こうしょう》号は日本の軍艦を見て逃げたが、操江は秋津洲《あきつしま》で降伏した。髙陞号は浪速《なにわ》の艦長の命に従わずに逃げ出したので、やむなく撃沈した。

当初、「大国清に小国日本が負ける」と嘲笑していた文明列国は、日本陸軍が平壌から金州に、或いはまた旅順に侵攻し、海軍が黄海のいたるところで連戦連勝するのを知り、ただひたすら驚嘆した。清国駐在米国公使デンビーは「中国の現状は悲惨を極む。兵士なく、武器なし、食糧なく、希望もなし。政局はいかなる価《あたい》にしても平和を買わんとし、昨日は米国に頼み、今日は五ヶ国にすがる。憐《あわ》れむべし」と伝えてきた。

明治二七年(一八九四)一二月二六日、駐日米国公使ダンが日本の外務省を訪れた。

ダンは陸奥に「戦争の勝敗は決まりました。清が講和を希望すれば日本は承知しますか」と尋ねた。陸奥は「相手に誠意があるのなら、いつでも受けて立つ」と答えた。ダンは「実は清はすでにそのつもりです。上海あたりで話をつけたらどうか……」と答えると、陸奥は即座に「上海それはだめだ。広島ならいつでもよい」と答えた。

結果的には、陸奥は清を代表する李鴻章《りこうしょう》が来日することで一歩譲り、広島から下関に談判の場所を変えている。

交渉の中で李は無条件休戦を主張した。だが伊藤博文首相はその要求を拒否した。そして、「明日、条約案を提示しよう」と告げると二人は別れた。

翌日、日本側は次の様な条約案を示した。

1、清国において朝鮮を完全無欠なる独立国と認める。

2、台湾及び澎湖《ほうこ》列島原案通りとし……遼東半島の領有を認める。

3、賠償金は二億円とする。

李鴻章はこの条約案を持って帰ったが、一週間後、本国での了承を得た中で日本側の要求を呑んだのである。そして、明治二八年（一八九五）四月一七日に、清国との講和条約の調印が行われた。

第二一、三国干渉

清国との調印が行われてから六日後、突然、ロシア、フランス、ドイツの三国の代表らが、事前の連絡もなしに突然外務省を訪れた。その時、残念なことに外務大臣の陸奥宗光は病のため、兵庫県の舞子に入院していた。そこでやむなく林次官が応対した。

ロシアの覚え書きには次の様なことが書いてあった。

「露国皇帝陛下は日清講和条約中、遼東半島を日本に割譲《かつじょう》する一条をもって、清国の首府を危うくするおそれがあるのみならず、朝鮮の独立を有名無実となし、従って将来極東の永久の平和に障害をあたうるものと認むるにつき、日本政府に向かい、重ねてその誠実なる友誼《ゆうぎ》を表すため、ここに遼東半島の領有を放棄せられるよう忠告する」

要するに、日本が遼東半島を領有すれば極東の平和が乱れるから清に返してあげなさい、というわけである。

フランスも同様の覚え書きを手渡し、帰って行った。

伊藤博文はその件を天皇に報告するやいなや、広島の大本営で山県有朋、西郷従道《じゅうどう》などや軍部の高級幕僚を加え、御前会議を開催した。二者択一である。拒絶か戦争か。三国を相手に戦う自信のない伊藤は列国会議を招請し、遼東半島問題をそこで決めようと提案した。

病院から戻った陸奥は、「そんな会議はやぶ蛇だ。それより朝鮮の平和と独立を促すことが大切である」と主張。伊藤博文首相と相談の上、「日本帝国政府は露、独、仏の三国政府の友誼上の忠告に基づき、遼東半島を永久に占領することを放棄するを約す」と三国に通報したのである。実にあっぱれ、と云うべきか、日本人の武士道精神を象徴するような出来事である。

ところがこれを知った日本国民は怒り、非難の嵐が伊藤と陸奥に集中した。そしてこの問題が十年後の日露戦争の原因となっていく。なぜならこの三国の返還交渉の裏には、実はロシアの南下政策の意図が隠されていたからである。

このとき、総合雑誌「太陽」は「臥薪嘗胆《がしんしょうたん》」と題する記事を発表。憤懣《ふんまん》やる方ない思いを皮肉って表現した。「三国の好意、必ず報《むく》いざるべからず、わが帝国国民は決して忘恩《ぼうおん》の民たらざればなり」と。

第二二、ロシアの横車作戦

日清戦争が終わり、朝鮮の独立に尽力しようとする日本に対して、それを阻止しようとあの手この手で王宮をあおり、民衆を扇動したのはロシアである。

欧米諸国はというと、貪欲に中国に食らいついた。ドイツは山東半島に、ロシアは遼東半島に、イギリスは広州湾に、それぞれ勢力範囲を見定め、分割支配した。アメリカは中国分割には加わらなかったが、ハワイ併合、フィリピン領有化を達成した。

こうなると割を食うのは日本である。いかに力がものをいう時代でも遼東半島の返還を要求したロシアが同じ遼東半島を自分の租借地にするとは言語道断。あまりの破廉恥《はれんち》さに日本人は憤激し、ロシアに対する敵意は国民全体のものとなって増大したのである。

ロシアは満州を支配し、鉄道保護の名目で一万二千人の大部隊を満州に駐屯させ、巨大な戦艦を極東に送り込んだ。ロシアの参事官バクレフスキーは日露提携案を用意した。伊藤博文や井上馨は交渉の余地ありと考えていたが、この話がイギリスに伝わるとイギリスは対日姿勢を一変、日英提携に積極的に進み出た。

桂首相は、ロシアに対抗するにはイギリスとの同盟が不可欠と感じていた。そして、いち早く東洋の平和を確保したいと考えていた。

桂太郎、小村寿太郎ラインで締結した日英同盟は日本の外交史上高く評価されている。

その同盟というのは、明治三〇年（一八九七）に大韓帝国として誕生した韓と清の両国の独立を保全し、日英いずれが他の一国と戦う時は、一方は厳正中立を守り、もし仮に二国以上と戦う時は協同してこれにあたる、というものである。

だが、この同盟締結はロシアにとっては痛手となった。そして、ロシアとの朝鮮問題は目にみえてこじれていったのである。

その頃、ロシアは奉天《ほうてん》を占領し、城門にロシアの国旗を翻《ひるがえ》していた。郵便電信局の運営も露軍の官吏らが行っていた。

東洋鉄道（後の満鉄）は軍用にし、鉄道の要地には軍隊を配備した。のみならず、アレクシェフは旅順の要塞司令官中将ステッスセルに砲台の築造を命じ、いつでも日本軍と戦えるよう準備を急いだのである。その砲台は堡塁《ほうるい》の一辺が一〇〇メートル、厚さが二メートル。それが二重三重にめぐらされ、世界一と称された。二〇万人の兵力と六〇〇門の大砲で攻めても三年間は持ちこたえるだろうという、難攻不落の要塞であった。

第二三、激烈を極めた日露戦争

こうしてみると、日露戦争というのは状況から判断して、日清戦争の延長でしかない極めて不幸な戦いであると言えよう。

ロシアの東方アジア戦略は、清や朝鮮にとって許し難いものである。そして、ロシアの大いなる野望の矛先は、日本にも向いていたのである。遠慮がちな日本政府が恐る恐る外国と結んだ不平等条約。その中で、朝鮮と永久安寧と平和を保つ条約を結んでいるからには、見殺しにすることは出来ない。しかもこのまま傍観していれば、清がロシアの植民地にされてしまうのは時間の問題だ。

日本には、「朝鮮人にも民族自決の精神を持たせたい」という思いが常にあった。

それは、日本と朝鮮は同一民族で、しかも三千年の昔から交流の歴史があり、兄弟国であるとの思いがあるからである。そして、日本がなぜ朝鮮という国を身を挺して守ろうとしたのか。その根底には、日本の武士道精神がある。弱きを助け、強きをくじくという心と隣人愛である。その歴史の真実を、日本の若者のみならず、朝鮮の若者たちにもぜひ知って頂きたい。

さて、日露戦争を避ける事が出来なかった理由のひとつとして、日本による「アジア主義戦略」があった。大久保利通や木戸孝允《きどたかよし》らによる国際的見地からみた戦略である。ロシアの侵略を放置すれば日本も植民地にされる恐れがあるため、見過ごすことはできない。つまり日露戦争は、国の存亡をかけた戦いだったのである。

その日露戦争だが、第一軍の司令官は陸軍大将黒木為禎《くろきためさだ》であった。第一軍は朝鮮から鴨緑江《おうりょくこう》を越えて満州へ進撃した。そこには待ちかまえたロシア軍がいた。第一軍は四万の兵士である。対するロシア軍は三万。第一軍はロシア軍を押して前進できた。

蜷川《になが》陸軍中尉は安曇丸《あずみまる》に乗り宇部を出発し、朝鮮の鎮南浦《ちんなんぽ》に上陸したのである。

そして大同江を遡《さかのぼ》って平壌に着いた。四月、軍司令部と共に鴨緑江の南岸に到着した。

ある日、鴨緑江《おうりょくこう》の水が澄んできれいだったので蜷川中尉は水筒いっぱいに水を汲んだ。

するると間もなく、負傷して動けないひとりのロシア兵と遭遇した。ロシア兵は痛みと疲労のために顔は青白く死人のようだった。ロシア兵は蜷川の姿を見つけるや、震える手をあげて彼の水筒を指した。「水が欲しいのか！」、状況を察した蜷川は貴重な水をロシア兵に与えた。ロシア兵は水を飲み干し、水筒を彼に返した。ロシア兵は話す気力さえなかったが、涙を流して感謝の気持ちを表した。

「この勇敢なロシア兵も祖国に帰れば愛する家族がいるだろう。一視同仁《いっしどうじん》、敵味方で戦ったとしても、相手が倒れたならば情をかけ、憐みの心を持たなければならない」蜷川はそう思いながら、部隊に遅れまいとその場を立ち去った。

こういった美談は枚挙にいとまがないが、これこそが日本の武士道なのである。世界平和を希求するとすれば、その礎《いしずえ》としたい思想ではないだろうか。

日露戦争が始まったのは明治三七年（一九〇四）二月六日。栗野駐露公使はロシア外相ラムズドルフに二通の覚書を提出した。国交断絶の最後の通達である。

「日本人は人が良いからすぐ騙《だま》される。公使館員は皆スパイだと思っていなければならないのだ。外交官のイロハだよ」と栗野はロシアのしたたかさを教えられていた。

「確かに、最後通達を突きつけられても、ロシア皇帝夫妻が仲良く観劇に出かけ、それに敵国になる公使を何食わぬ顔で招待するというのは、実に侮れない国である」と栗野は思った。事実ロシアは、高圧的な態度で日本を脅かせば簡単に折れると考えていた。戦争などしなくとも外交戦で勝てると踏んでいた。つまり、日本の実力をその程度にしか認めていなかったのである。国土の大きさは五〇倍、人口は三倍、常備軍は一五倍、兵器は最新鋭といった状況の中で、日本を見下すのは当然ともいえる。しかもこの頃は、世界中の国々が同じ様な目で日本を見ていた。

ところが、日本はロシアに勝った。しかも大勝利だった。勝因はロシアに対する日本国民の激しい怒りである。あの三国干渉を裏で主導したロシアを許すことはできない、という日本人の魂に火が付いたのだ。この戦争は聖戦だ、決して間違ってはいない、こんな卑怯な国は決して許さない。その「武士道精神」が勝利を呼び込んだと言えよう。

また、日露戦争において、特に日本で有名になったクロパトキン将軍がいる。彼がのちに、主戦派の内務大臣プレーヴェーに「なぜ戦争推進派だったのか」と質問すると、「ロシア国内に潜在している革命派（共産主義者）を抑圧するには、戦争に勝って為政者の威信を示す必要があったからだ」と答えた。このような内憂があったことは確かだが、それこそが、レーニンが率いる共産主義者らが起こそうとしていた革命である。

極東総督のアレクセーエフは、満州における利権屋でもあった。そして、「日本の猿どもめ！」と恐喝《きょうかつ》すれば、日本はたちまち屈服すると考えていた。だが本当にあくどい猿は、極東の彼らだったことは言うまでもない。

アレクセーエフは、朝鮮や満州方面に多くの利権を保有していた。そのためニコライ二世や同妃の宮中内に彼は勢力を張っていた。日本政府は手を尽くし交渉を迫ったが、彼はその最中でも朝鮮の一部を占領したり、韓帝に迫ったり、相手の許可なしに自分の権利をかざして商売を行っていた。およそ、日本人には想像もつかない国賊行為である。アレクセーエフ同様、利権屋のベゾブラーゾフ一派も実に尊大だった。「今、世界に大ロシア皇帝に向かって宣戦し得るほどの者はいない。もし、ロシアの態度さえ強硬であれば、陛下の欲するところは戦禍《せんか》を見ずに我が物になる。日本や中国が我が要求に服従しないのは我々が彼らに遠慮しがちにしているせいだ。ロシアの命令に従わせるには威圧よりほかはない。譲歩は一切禁物。万が一譲歩することがあっても、それは彼らの主張を呑んだのではなく、ロシア皇帝陛下の恩恵であることを知らしめなければならない」という言い分である。

だが日本は遂に、日露開戦という最後通牒をロシアに突きつけた。忍耐に忍耐を重ねてきたが、あまりにロシアの態度が傲慢で卑劣であったために、そうせざるを得なかったのだ。

参謀総長は陸軍大将大山巌《いわお》である。

次長は陸軍大将児玉源太郎、彼はドイツのメッケルの戦術に従った。メッケルは「戦争の勝負は精神力で決まる」と陸軍大学で教えた。また、「戦争は相手の意表を突き、機先を制して初戦に勝たねば犠牲者ばかりが増え、勝利することは難しい」とも教えた。

しかし実際は、戦争には勝ったが犠牲も少なくなかった。

第一軍の司令官は黒木為楨《ためもと》大将で、第二軍は南山を占領したが、この戦いで四千三百余名の戦死者を出した。

第三軍の司令長官乃木希典大将は音に響いた旅順二〇三高地の要塞で死闘を繰り返す。第一回の総攻撃は六日間続いた。死傷者一万六千人のうち、死者は二千三百人。しかも占領することは出来なかった。

遼陽《りょうよう》の戦闘では、日本軍一四万、ロシア軍二三万が激突した。お互いに約二万人の死傷者を出した。

沙河《さか》の会戦では、ロシア軍四万のうち一万人、日本軍は一万六千のうち三千人の戦死者を出した。結果は日本軍が勝利し、進行した。

第二回二〇三高地の総攻撃では四千七百人の死傷者を出す。

第三回二〇三高地の攻撃は乃木司令官による私情を排する判断で二人の息子、勝典《かつすけ》中尉、保典《やすすけ》少尉に陣頭指揮を執らせた。残念ながら二人は戦死はしてしまったが、遂にあの恐るべき防塁《ぼうるい》を破壊し、大国ロシアを降参させたのである。

第一回の総攻撃から旅順開城まで実に五五日間。日本の参戦者は延べ一三万人に対し、ロシアの防塁に籠《こ》もる兵は三万五千人。日本軍の死傷者六万人のうち死者一万四千人。ロシアの死傷者二万人、うち死者五千人。あまりの凄まじい戦いで言葉を失うばかりだ。

日露戦争においては、幕末の小栗忠順《おぐりただまさ》（上野介《こうずけのすけ》）の敷いた海軍路線が活きた。仁《じん》川港《せんこう》、旅順港《りょじゅんこう》と次々に大鑑を撃破し、遂には明治三八年（一九〇五）五月二七日、バルチック艦隊を連合艦隊司令長官の東郷平八郎の作戦によって全滅させ、見事な勝利を収めたのである。

講和会議はアメリカのポーツマスで開かれ、日本の代表として小村寿太郎が出席した。

ロシアは外交のスペシャリスト、ウィッテが対峙した。仲介役はアメリカ大統領ルーズベルトがその任に就いたが、ウィッテはしたたかな交渉相手であり、小村は常に先手を取られている。

樺太は日本軍が占領していた。日本としては南半分などではなく全樺太を日本の領土としなければならない。この件は幕末にもプチャチンに対し、川路聖謨《かわじとしあきら》が会談の際に熱弁を振るい、日本古来からの領土であったことを主張している。小村がこのことを知らなかったわけではあるまいが、結局、樺太は半分の北緯五〇度で止められてしまった。

また、ロシアからの賠償金は無しとした。正義感の強い小村寿太郎は「金や物のために戦争したのではないと」として、次の条件をロシアに提示し調印した。

一、朝鮮国に対する日本の指導と監督権を認める
二、旅順、大連の租借権（領土を合意の上、借りる権利）、長春以南の鉄道の利権の譲渡
三、北緯五十度以南の付属諸島の譲渡
四、カムチャッカの漁業権を認める

以上

日本は中国の義和団事件（一八九九年）に介入して以来、「極東の憲兵」といわれてきたが、またもや、大国ロシアを打ち負かしたことで世界中から「大国」として注目されるようになった。

第二四、乃木大将と武士道

道徳や武士道というものは、人道、つまり人間が人として生きる道しるべである。重要なのは、それを誰が、何時、何処で教え導くのか、ということである。以前、長野県校長会がそのことを調査した折り、次の様な結果が出た。

1、家庭の躾《しつけ》が七〇％
2、学校教育が一七％
3、社会教育が一三％

つまり、家庭教育がいかに大切かということである。

日露戦争で活躍した乃木将軍は、その奥方もまた立派であった。当時は家長たる父親からの躾が厳しく、多くの女性たちがその教育を受けた。たとえ学校を出ていなくても、人として凛として生きることの大切さや美しさを学んだのである。

難攻不落の要塞を奪取した乃木軍は鬼神の強さで日本の難局を救った。だが、日露戦争によって日本側は約二万七千、ロシア側は約一万八千の兵士が命を落としたとされる。そしてその中には、乃木夫妻の二人の子供もいた。

明治三七年五月、長男の勝典は金州南山にて腹部が吹っ飛ぶような銃撃を受け絶命。次男の保典も同年一一月、二百三高地を進軍中銃撃され、そのショックで岩場から滑落し亡くなった。母親である静子夫人は息子らに対し「よく戦死してくれた。これで世間に申し訳が立つ」と言って泣いた。

このことは、「水師営《すいしえい》の歌」の中で歌われている。馴染みの無い方も多いと思うが、水師営とは駐屯地のことである。明治三八年（一九〇五）に日露戦争は停戦条約が締結されたのだが、その会見場となったのが旅順にある水師営であった。ここで、日本代表として乃木希典、ロシア代表としてアナトーリイ・ステッセル中将が向き合った。その時の様子を歌ったのが「水師営の歌」である。歌詞を掲載したので、ご一読頂きたい。

水師営の歌

（尋常小學読本唱歌・明治四三年）作詞　佐々木信綱
作曲　岡野　貞一

一、旅順《りよじゅん》開城　約《やく》なりて
敵の将軍　ステッセル
乃木大将と　会見の
所は何処《いずこ》　水師営《すいしえい》

二、庭に一本《ひともと》　棗《なつめ》の木
弾丸痕《あと》も　いちじるく
くずれ残れる　民屋《みんおく》に
今ぞ相見《あいみ》る　二将軍

三、乃木大将は　おごそかに
御恵《み》み深き　大君《おおぎみ》の

大詔《おおみことのり》　伝《つと》うれば
彼《かれ》かしみこて　謝しまつる

四、昨日の敵は　今日の友
語る言葉も　うちとけて
我は讃えつ　彼の防備
彼は讃えつ　我武勇

五、形《かたち》正して　言い出《い》でぬ
「この方面の　戦闘に
二子《にし》を失い　給《たま》いつる
閣下の心　如何にぞ」と

六、「二人の我が子　それぞれに
死所を得たる　喜こべり

これぞ武門《ぶもん》の面目《めんぼく》」と
大将答え　力有り

七、両将昼食《ひるげ》を　共にして
なおも尽きせぬ　物語
「我に愛する　良馬《りょうば》あり
今日の記念に献すべし」

八、「厚意謝するに　余りあり
軍の掟に　従いて
他日我が手に　受領せば
長くいたわり　養わん」

九、「さらば」と握手　懇《ねんご》ろに
別れて行くや右左

砲音《つつおと》絶えし砲台に
ひらめき立てり　日の御旗《みはた》

明治の日本の光輝ある歴史、日本人の武士道精神がしみじみと現れており涙が止まらない。この会見のときアメリカの映画技師が一部始終の撮影を要請した。しかし乃木は、「敵将を辱《はずか》しめる」と言って拒絶し、代わりにステッセル将軍に帯剣まで許し、並んだ姿を一枚だけ撮らせた。

この歌にあるように、自身の苦戦のみならず、二人の息子、勝典、保典を戦死させ、多くの若い兵隊の命を犠牲にした辛さは、その後の人生を変えた。明治天皇の崩御と共に乃木夫妻は自刃《じじん》し、将兵の霊に報いたのである。

第二次二〇三高地の攻撃の後、陸軍参謀本部では第三軍司令長官である乃木希典を替えようとする意見が出た。その時、明治天皇からは、「乃木を替えてはならぬ」の一言があった。この戦いの中で天皇がお言葉を発したのはこの時だけである。それはまさに武士道精神の現れでしかない。

乃木将軍の計らいに感激したステッセルは、自身の愛馬を献上した。彼もまた、王政ロシアの一員として苦難の道を歩んで来た。そこで育まれた人間性が乃木と相通ずるものがあったのだろう。

第二五、日韓併合を熱望した韓国

助け合いの精神が旺盛な日本人は、「お隣の韓国にも手を差し伸べなければ」という思いを常に持ち合わせていた。かつて明治政府が韓国の独立を支援したのもそういった意識が根底にある。

日本の初代内閣総理大臣である伊藤博文が「韓国の父」と称され、韓国の人々から親しまれていた時代があったことを、今の韓国の若者はご存知だろうか。

もともと日韓併合は韓国側から熱望されたことであり、そこを勘違いしてはならない。

日韓併合は韓国側によって伊藤博文が驚くほど急進的に進められた。

伊藤は、韓国をロシアから守ろうとした。しかし日韓が併合し、日本の援助で急激に近代化を図れば韓国人からの反発は必至であった。よって性急な日韓併合には否定的だったのである。

統監の伊藤が宋秉畯《そうへいしゅん》の提案を受け入れないので、宋は大臣を辞め東京の桂首相のもとに渡航し、彼に会った。（宋秉畯は朝鮮王朝末期の親日政党である一進会《いっしんかい》を創設し、一九〇七年の李完用《りかんよう》内閣時に大臣となった人物である）。その彼と日本の桂首相とのやり取りの一端は次の通り。

宋「韓国併合は現下の急務です。日本の首相はどうお考えですか」
桂「口で言うほど簡単なことではない」
宋「伊藤統監と同じ意見に見受けますが」
桂「拙速はよくない」
宋「一億円で片付きます」
桂「高い、半額だ」

宋「高くない。あの豊富な資源のある韓国を買い取る代価ですから」

二人の会話は結実しなかった。

桂首相は宋との会話後、日韓併合を真剣に考えるようになり韓国統監の伊藤に会った。

桂は「保護制度によって既に四年近くもたつが、韓国の政治は良くならない。あなたのような実力者でも成果は芳しくない。聞けばあなたも統監を辞めた由、いっそのこと韓国を併合したらどうかと思う」と話した。

桂は併合後は京城に朝鮮総督を置き、天皇の統治権が発動できるようにすることだと、小村寿太郎と研究した末の結論を述べた。伊藤は黙って聴いた。

桂は、韓国の皇帝や皇族についてもそれぞれの位と待遇を考えている旨を述べた。たとえば帝《みかど》は天皇、皇太子の次に位置し大公と呼称する。王族や大臣や高官には「公候伯子男《こうこうはくしだん》」（日本と同じ）の爵位《しゃくい》と世襲財産を与える、といった具合だ。伊藤は桂の意見に驚き、それ故に同意しかねた。次に小村寿太郎には「外国の意見はどうか」と尋ねた。

小村は「アメリカのハワイ併合の例もあり、異議はない」と答えた。

伊藤の真意とすれば日韓併合は反対であった。だが韓国側にしてみれば、もはや日本に併合して貰わなければ生きる道はなかった。

ところが頼りの伊藤博文は、その後まもなく韓国人青年に暗殺されてしまう。次項ではその真相を探ってみたい。

第二六、伊藤博文暗殺

「朝鮮の父」として敬愛され、朝鮮総督を退官した伊藤博文は明治四二（一九〇九）七月一五日に韓国を出立し、一七日には大磯へ帰って休養する予定であった。ところがその矢先に、ロシアの蔵相ココツェフから突然「会いたい」とモスクワから打電があった。しかも会う場所は朝鮮ではなく満州のハルピンだった。

伊藤は行かなければ良かった。だが、朝鮮を自国の如く愛していた博文は、「目の上のたん瘤」でもあるロシア蔵相からの要請を無視することはできなかった。そこで、韓太子を伴って東北地方や北海道を旅行案内したあと休む暇もなく満州に向かったのである。

十月二六日、伊藤はハルビン駅に着いた。ココツェフが軍人らを従えて伊藤を出迎えた。

すると間も無く、ロシア部隊の後方から突序現れた青年が、ロシア製のブローニング連発銃を伊藤に突きつけ三発立て続けに発射した。弾は三発とも伊藤の体に命中したが、肩に当たった一発が致命傷となった。（※狙撃した位置や弾丸の種類の検証により、伊藤博文に致命傷を負わせたのは別人であり、安重根の放った弾丸は、伊藤に同行した秘書官らの体内から出てきたという説もある。単に相手を見間違えたのか、それとも故意なのか。不可解な点が多い事件である）

伊藤は乗って来た客車内に運ばれ横に伏された。

「誰だ…？」

「韓国人の安重根《あんじゅうこん》という青年です」

「バカな奴だ…」と伊藤はつぶやいた。

息も絶え絶えの伊藤はブランデーをなめるように口にした。そして秘書官に向かって、天皇皇后両陛下への感謝と安寧を願う遺言を述べた。そして撃たれてから三〇分後、遂に巨星は瞑目《めいもく》した。享年六八歳であった。

長州藩の足軽の出身伊藤は、明治政府における初代の首相となり、その後も引退どころか、外圧や貧困でもがき苦しむ韓国を救おうと志願し統監となった。統監を辞めて三ヶ月目、それでもなお韓国の行く末を案じ、帝《みかど》を助け、ロシアの南下交渉も防ごうと懸命に努力していた。その最中での悲劇である。

ところがそんな裏事情があるなど露ほども知らない朝鮮の当局者は、この暗殺事件に大きな衝撃を受けた。伊藤が京城府《けいじょうふ》（日本統治時代の行政区域）を去って間もなくのことであり、殺人犯が韓国人であったから無理はない。そこで当局は、日本との合併工作を急いだのである。

現在、安重根は韓国内では反日の英雄である。公共バスのボディーなどにも大きくペイントされていて、反日プロパガンダとして利用されている。

だが実は、彼は明治天皇や日本の国に敬意を払った人物であり親日派だった。彼は暗殺事件の裁判の中で、大韓帝国時代の皇太子である李垠《いうん》を日本が教育したこと、あるいは明治天皇が韓国の独立に尽力したことに感謝の意を述べている。

また彼は、韓国、中国、日本は一丸となって欧米列強やロシアと対峙し、追い払うべしといった「東洋平和論者」であった。よって日清・日露戦争によって日本が朝鮮半島を守ったことについては大いに感謝している。これは安重根だけではない。日本の勝利については当時の中国人や韓国人の多くが歓喜した。

ではなぜ伊藤博文に発砲したのか？

この事件の黒幕は、ロシア帝国を打倒し、共産主義によって世界制覇を狙うレーニンだと言われている。日露戦争後、衰弱激しいロシア帝国の支援に動いていた伊藤博文は、レーニンにとってさぞかし目障りだったに違いない。

これは私の推測だが、安重根がレーニンとその配下らに操られるようになっていく際、「伊藤博文は明治天皇の意に背き、日韓を分裂させる逆臣である」などと吹き込まれたのではないか、ということである。もし彼が、大韓帝国皇太子に教育を施した大恩人が伊藤博文その人であり、韓国の自立と近代化を誰よりも真剣に考えていた方であるということを知っていれば、あのような悲劇は起きなかったかもしれない。

第二七、慌てふためく韓国

首相の李完用《りかんよう》は日本から轟々の非難や賠償請求などをされる前に、度支部《たくしぶ》大臣高《こう》永喜《えいき》と、日本通の農工商大臣である趙重応《ちょうじゅうおう》の二人を弔意訪問者として日本政府に派遣した。

二人が帰国すると一進会の李容九《りようく》会長は「百万人の会員と二千万人の同胞の代表」と称し、「韓日合邦《かんにちがっぽう》を要求する声明書」を一九〇九年（明治四二）一二月四日に李完用総理大臣、大韓帝国皇帝の純宗《じゅんそう》、第二代韓国統監の曾禰荒助《そねあらすけ》（伊藤博文の後任）らに送った。

それと同時に、殺された伊藤は当然のこと、桂と小村とのラインは崩れないことを確認するがごとく、李容九の建白書が次の通り送られてきたのである。少し長いが読んでみて頂きたい。

「韓国の地勢たるや、東南は海をはさんで日本海に連なり、もって制海の天犠を握り、西北は境を二強に接し、もって長白の地喉を扼《やく》し、うちにあっては江湖《こうこ》の注《そそぐ》ところ、山岳の起きるところ、風雨祥を呈し百穀瑞《ずい》をいたし、地下には金鉄無尽の宝蔵を伏し、水上には塩魚不朽の宝庫を浮かぶ。天の恵むところ。それ斯くのごとく豊かなるにかかわらず、二千万人の貧弱に泣きて、文明の域に進む能わざるはなんぞや。

これ職として建国《けんこく》の国是《こくぜ》定まらず。経国《けいこく》の大本《おおもと》立《た》たず、その国力やつねに隣強の勢いを頼み、その民生やついに持久の計なく、小弱に膠株《びゅうしゅ》し、自ら剣去《けんさ》って舷《げん》を刻《きざ》むの愚《おろか》を知らざるによらばあらず。

大日本天皇陛下の至仁至徳《しじんしとく》に頼るに非《あら》ずんば、すでに久しく沈論《ちんろん》の極《きわ》みに達したる韓国の臣君は天日に今日に仰ぐを得ず、文明を将来に望む由《ゆえ》ならんとす。

さきに保護制度を布かれてより、韓国の日本における利害すでに相寄り政教すでに相和す。日韓の関係はじつに慶弔一家を致す。しかして今の国際関係たるや逢逢《ぼうぼう》然《ぜん》として変幻きわまりなく、朝夕を計るべからす。

一朝両国あいもたざるの事情を生ぜんか、現状の頼むに足らざるを知るべし。邦家万世不滅の洪甚ただよろしく今日太平無事の際において日韓合邦を創立するにあり。

これひとり韓国逢逢然自ら保つの策のみと謂《い》わんや。また、日本自ら守るの道なり、ただに日本自ら守る道なるのみならず、両翼を鼓し両輪を興をやり、陽にはもって東亜の時局を支持し、陰にはもって世界の平和を保障すべきなり。

謹みておもんみるに、わが大韓国をもってこれを病夫に擬《ぎ》せんか、その命脈の絶えたるやすでに久し、臣等呼号するは徒《いたづ》らに死屍を抱きて慟哭こくるのみ。いまだ死せずというは徒《いたづ》らに死屍のなお生けるがごときを見るが故のみ、ああ臣等今にいたりこの死屍を奉じて安《いず》くに適帰せん。

日韓合邦して一大帝国を新造するの議は、二千万同胞が初めて死刑を知り新たにその生を得るに庶幾《ちか》からんか。

日本天皇陛下、天従をもって開国の運にあたらせられ、万世一系の祖徳を掲げ

二千五百年建国の鴻業《こうぎょう》をおおいにし給う」（後略）

建白書はまだ続く。

ところがこの建白書に遅れてなるものかと、大韓商組合も日韓合邦の声を上げた。そして、国民同士賛成会も一三道儒生《じゅせい》も国家百年の長計だと同調した。

一方、日韓合邦《がっぽう》に反対する者は、極めて少なく国是遊説団、大韓毎新聞社などがそれだった。

曽禰《そね》総監はさっそく韓国閣僚を統監邸に召集し、内相の朴斉純《ぼくせいじゅん》を首相の代理とした。彼は「言論には言論を」と持論を述べた。合併論は韓国内でも日本国内でもさまざまな議論となった。ここで重要な事は、日韓併合はあくまでも韓国側の要求から始まったということである。

桂首相はやむなく日韓併合のための準備委員会の構成を許可した。そして準備委員会は次の七項について重要な決定をした。

第一、韓国を改称して朝鮮とする。

第二、韓国皇帝たる李王を大公と称し、その席次を皇太子の次、親王の上とし、その一家を世襲として一ヶ年歳費一五万円を支給すること。

第三、李家の親族は皇族待遇とし、その班位に応じて、公、侯、伯（朝鮮貴族）を授け、世襲財産として担当の公債証書を下賜《かし》せらるること。

第四、新旧功臣にはその分に応じて爵位を授け、且つ世襲財産として公債を下賜せらるること。

第五、朝鮮人は特に法令または条約をもって別段の取り扱いをなすことを定めたる場合の外全然内地人と同一の地位を有すること。

第六、韓国の対外条約は併合と共にすべて廃止し、日本の対外条約をもってこれに代え、従来の居留地の事務を各国領事より日本官庁に引き継ぐこととし、かつ永代借地権者の希望により所有権に代えしめ、その希望を表明せざる場合には依然永代権を認むること。

第七、併合の際、所要経費として公債三千円を発行し、その一半を王族、元老、大官の世襲財産にあて、他の一半を教育、授産、備考等の基金として各村に分賜《ぶんし》せらるること。

このような成文に努力したのは寺内統監の内助をしていた小松霞南《こまつかなん》たちであった。小松はかつて板垣退助や星亨《ほしとおる》などが顧問になってつくられた政治学校で国際法を講義した人物である。

これを聞いて亡命中の李人植《りじんしょく》は、その待遇の良さに感激してこれに従い、李完用《りかんよう》首相は日本語のできる趙重応《ちょうじゅうおう》農相と共に、寺内統監と両者間の合併を決定したのである。

寺内総監が李首相に告げ、通訳は趙が行った。

「日本政府は韓国政府を擁護するために日清、日露の大戦をあえて行い、数十万人の生霊と何十億円の犠牲をみました。わが政府を傾けて韓国のために尽くしてきましたが、この四年間、内政上の成果を上げることができませんでした。さて、そこで韓国皇室の安定の保証と韓国全体の幸福を増進するためには、むしろ日韓両国が一体となって統括機関の統一を考えることが一番です。日本政府はこうした観点から合併の事項を決め、私がその任にあたるように勅命を受けたのです」と寺内総監は語った。

聡明な李完用は寺内に答えた。

「韓国は国土も人心も荒廃している。この現状ではもはや自力での再興は無理であり、いずれかの国の助けが必要です。この場合、日本より適切な国はありません。閣下よりくわしい条件を首相個人としてはこの一件に反対する者ではありません。閣下よりくわしい条件を承ることができますれば幸甚です」

寺内は口頭では誤解を招くおそれがあることから二枚の書き付け書を渡した。

李首相は次のとおり告げた。

「閣議で理解を求め、正式に返答します。気になるのは国号と君主の尊称のことです。合併後にも国号は韓国とし、また現皇帝に王殿下の旧称を与えて欲しい」

後にこの問題は両国政府閣議ですりあわせ、国号は朝鮮とし、合併条約に署名調印した。そして明治四三年（一九一〇）八月二二日午後五時。韓国は消滅し、日本国の一部となったのである。

約束通り韓国側は手厚い待遇を受け、調印式に出席した韓国要人たちはシャンパンで乾杯し調印を祝し、互いの健康を祈り、未来永劫の平和を願った。

つまり、日韓併合は決して日本が望んだことではなく、一日も早く日本の天皇の支配下に治めて頂きたいという韓国側からの嘆願から始まったことなのである。

第二八、日韓併合における日本の援助

韓国の統監を四年間務めた伊藤博文は、併合には反対だったが韓国を日本と同じように発展させようと誠心誠意尽力した。だが後方に野心国家のロシアが様々な罠を仕掛けてくるので事が順調に進まない。

伊藤博文が暗殺され、慌てふためいた韓国が日本との併合を急いだことは前述の通りだが、日本政府としては暗殺された伊藤が生き返る訳でもないので、むしろ韓国の支援に力を入れた。韓国の幸せを願い、明治維新の国内の政治と同じような政策を敢行したのである。

一例を上げると、併合前までは百校程度しかない小学校を実に四二七一校も造り、義務教育を徹底した。以前は僅かな識字率だったが一足飛びに六〇％に引き上げた。また、山林においては至るところ禿山《はげやま》ばかりであったが、植林をさせて緑の山に蘇らせた。

発電についても鴨緑江《おうりょっこう》の大量の水を利用し、当時としては出力第二位とも言われた水力発電所を建設した。交通インフラも整備し、産業の発展に大いに寄与した。特に農業においては一気に近代化を図った。水田の水田面積も倍に増やし、二五年足らずで人口も倍にした。これは、医療や衛生面での向上にも力を入れたことの証拠でもある。

韓国が世界の国々と肩を並べるようになったのは、政治、経済、文化などの面において日本が深く関わったからである。身分制度を改め、下劣な刑罰も改められたことも歴史の真実である。

韓国が日本と併合すると云うニュースは当時世界を駆け巡った。列強国のアメリカやイギリスも「東アジアの安定のため、併合を支持する」と新聞で大々的に報道された。つまり、日韓併合は「自然の成り行きである」と世界は見ていたのである。

第二九、日韓請求権協定

昭和四〇年（一九六五）、日本は韓国と「日韓基本条約」で国交を正常化した。この時の韓国に対する経済協力金は実に一一億ドル。

この条約に付随するかたちで締結した、いわゆる「日韓請求権協定」においては、日本政府が韓国に支払ったカネは、無償で三億ドル、有償で二億ドル、民間借款で三億ドル。韓国の国家予算の二～三倍と云うとてつもない大金である。もちろんこれらの原資は、日本国民が汗水流して働き得た貴重なカネであることは言うまでもない。

日本の韓国併合は明治四三年（一九一〇）から昭和二〇年（一九四五）八月まで続いた。この間、日本の政府や軍、あるいは朝鮮半島に移住し事業を営んだ日本人が残した資産が五九・四億ドル。日本円で八九一億円、今のレートで約一七兆円の資産が残されていた。

だが、日本政府も民間も終戦のショックと混乱で放棄してしまった。そしてそのまま朝鮮半島の財産となったわけである。

日韓併合については、韓国の面子《めんつ》を保つために都合の悪い事実に触れない識者らも多い。だがそれでは歴史的学問は成り立たない。日韓双方とも事実の部分はお互いに素直に認め合わなければ両国の関係は先に進まない。

日本と朝鮮半島の人々とは三千年も前からの深い繋がりがある。文化的にも政治的にもお互いに真心籠めて交流した年月が長い。私自身も、同胞愛を感じつつ韓国人の皆さんと交流した経験がある。隣どうしなのだから、本来はそうあらねばならない。

第三〇、共産主義の発生とマルクス、レーニンの存在

共産主義革命を訴えたカール・マルクスについて少し触れたいと思う。彼は一八一八年にドイツの裕福なユダヤ人弁護士の家庭に生まれた。だが当時のプロシア国家は形だけの立憲君主国であり、人民の自由は極端に狭められていた。例えば大学教授は貴族階級で占められており、ユダヤ人であるマルクスは教授になる道が閉ざされていた。次第に革命的傾向を強めていった彼は、急進的な「ライン新聞」の編集者となり、本格的に共産主義や経済問題に取り組むようになる。

しかし彼の無神論がプロシア政府の目に触《ふ》れ、翌年には辞職に追い込まれてしまった。やがて彼は「ヘーゲル法哲学批判」を発表し、プロレタリア解放の革命

的立場を明らかにする。そして共産党宣言を発表し、ドイツで革命を実行しようとしたが失敗。マルクスは身を寄せる処《ところ》が無くなりイギリスに亡命した。ロンドンでのマルクスの生活は窮乏を極め、エンゲルスの僅かの送金で暮らしていたが一八八三年に六五歳でこの世を去った。

だが、マルクスの肉体は滅んだが、彼の遺した「マルクス主義」というものは残った。そしてそれが、ロシア革命の原動力となったのである。

レーニンについても少し触れたい。彼は一八七〇年、ロシアのシンビルスクという町で生まれた。鉄道も通らない片田舎だが、農民運動の舞台となったロシア史を飾る町である。

彼の父は勅任官《ちょくにんかん》として世襲貴族にまでなり、ドイツ系の母と四歳年上の兄アレクサンドル・サーシアを持ち、恵まれた少年期を送る。

しかし、兄のサーシアはロシア皇帝アレクサンドル三世の暗殺計画に加わったとされ、一八八七年五月二十日に絞首刑となり、二一歳で絶命。このとき一七歳のレーニンは「きっと復讐するぞ!」と叫んだという。その理不尽な処刑が彼に与えた衝撃は大きく、彼を革命家へと導く契機となったことは間違いない。

その後カザン大学に入るが、やがて同大学を追放されてペテルブルク大学に移った。そしてマルクス主義者となり、職業的革命家となった彼は「マルクス・レーニン主義」と命名し、国際的革命運動を展開、全世界を共産国にしようと目論んだ。

一九〇五年（明治三八）、皇帝専制政治を打倒すべく第一次ロシア革命が起きる。一九一七年（大正六）に第二次ロシア革命が起こり、人類史上初の社会主義国が誕生した。

革命の最中、国内で革命や共産主義に反対する者を政治犯と称して粛清した。その死者たるやおびただしく、ロシア革命に反対し粛清された人々の数は三千万人とも四千万人ともいわれている。零下六〇度のシベリアのラーゲリ（強制収容所）に送られ、処刑された人々も多い。

そしてレーニンは、すべての宗教においてこれを許さず、教会も潰され、思惑通り共産主義一党独裁国家を樹立した。彼はこうして、世界陸地の四分の一を征服した。

罪なく殺された異国の民の冥福を祈るばかりだが、レーニン自身は、ソビエト連邦の偉大なる人物として自分の像を建て、全国民に崇拝させた。

一九一八年から数年間はシベリア出兵も行われた。日本、米国、英国、フランス、イタリア、カナダ、中華民国などが、ロシアの革命軍に囚われているチェコを救出するために連合を組んだ。しかしそれは表向きの理由であり、実際は社会主義国が誕生したことによる干渉と、ロシアに預けてある外債や外資を保全するのが主目的だった。


一九二四年（大正一三）、レーニンはこの世を去る。享年五四歳だった。

いずれにせよ、一個人の人生の悲哀や怨念がひとつの契機となり、今に伝わる思想を創り上げ、社会主義革命を成功させたことになる。


さて、レーニンはロシア革命後、すぐさまある組織を設立させた。そのことについて少し触れたいと思う。

マルクスの死後三六年目、一九一九年（大正八）にロシア共産党のレーニンが中心になってコミンテルンを設立した。これはレーニンの親衛隊として「共産主義を全世界に広めるための国際的組織である。
メンバーの中には、ゾルゲ事件で有名になったリヒャルト・ゾルゲ、そして尾崎秀実《ほつみ》らもいた。尾崎はソビエトを「母国」と慕うほどソビエト共産主義に心酔していた。
コミンテルンが、満州事変、支那事変（日中戦争）、太平洋戦争を引き起こしたという「コミンテルン陰謀論」は今や多くの人々に知れ渡っている。もちろんそのほかにも原因は多々あるが、実際に蒋介石軍と死闘を繰り広げ、多くの戦友を失い、戦場にて不可思議な体験をした私にとってはやはり胸に落ちるものがある。

一九二一年（大正一〇）、コミンテルンの主導により中国共産党が結成されている。一九二二年（大正一一）にはコミンテルンで活動していた片山潜の援助もあり日本共産党が結成される。そしてその年の一一月にはコミンテルンに承認され、正式に加盟。コミンテルン日本支部の日本共産党となった。

結成当時の中国共産党のメンバーの中には毛沢東がいた。ただし中国の場合は工場で働く労働者階級よりも農民が圧倒的に多かった。そこで毛沢東は農村に拠点を置き、共産主義を広めた。奥地の農村には軍や警察の手も及ばないので洗脳活動は順調に進み、地主のもとから飛び出した小作人たちの多くは共匪《きょうひ》（共産党系ゲリラ）と化していった。

第三一、暗躍するコミンテルン

コミンテルンのメンバーでゾルゲ事件の首謀者であるリヒャルト・ゾルゲ。彼は一八九五年にドイツで生まれたロシア人であり、実母はドイツ人である。

その彼に全権を任せ、最初に起こさせた事件が満鉄の破壊から始まる満州事変である。

彼は昭和三年頃から上海あたりで尾崎、鄧小平らと会っている。そして清国二〇〇〇年の王政、蒋介石政府を滅ぼすため、日本の強力な陸軍を利用して蒋介石を攻めさせる事を画策した。それが満州事変の始まりである。

尾崎秀実《ほつみ》は明治三四年（一九〇一）日本で生まれた。もともとは朝日新聞の記者だったがやがてソビエト連邦のスパイとなる。近衛文麿政権の側近中の側近として軍部にも多大なる影響力があり、満州事変、支那事変、太平洋戦争開戦の間際まで国政に影響を与え続けた。

中国の毛沢東は、清国二百年の王、蒋介石を倒し中国に共産国を築こうとした。鄧小平《とうしょうへい》、華国鋒《かこくほう》、江青女史《こうせいじょし》等はゾルゲの手先となり、朝日新聞記者として中国に着任していた尾崎秀実も手なずけた。尾崎は学生の頃から反体制的な気質があり、共産革命に関心を寄せていた人物である。仲間に引きずり込む工作などわけなかったであろう。しかも毎夜、酒や女をあてがわれ、膨大な資金力も目の当たりにし、次第にゾルゲの深みにはまり込んでいった。これが日本国を滅亡の危機に陥れた男の、スパイ人生の始まりである。

彼はやがて、スターリンのためなら死ぬことも辞さないという覚悟まで持つようになる。

その後、満州に渡った尾崎は、日本の青年将校をはじめ、政治家、軍部の参謀らまで豊富な資金をあてがい、巧みな話術で懐柔し誘導した。

ゾルゲと尾崎がスパイとして関わっていた当時の事件や主な出来事を抜粋してみた。

大正一五年　尾崎秀実は朝日新聞に入社し、レーニン主義等の研究に没頭

昭和三年一一月　尾崎は大阪朝日新聞社上海支局の特派員となり、中国共産党とも盛んに交流

同年同時期　尾崎はコミンテルン本部に入り、共産党スパイとなる。この頃、ゾルゲとも出会う

昭和五年一月　ゾルゲが上海に到着。尾崎がゾルゲ機関に加盟し、中国でのスパイ活動を開始

昭和六年～　満州において中国人による日本の民間人への暴行、略奪、嫌がらせは年々酷くなり、襲われた日本の企業、店舗、個人的被害者は数百件にのぼる。日本人殺害事件も数件発生

同年九月一八日　柳条湖事件が起きる。これを契機に満州事変が始まる

昭和七年三月　満州国建設

同年五月　五・一五事件（海軍の青年将校らが総理官邸に乱入し、犬養毅首相を暗殺）

昭和八年三月　日本が国際連盟を脱退（日米英戦の機運がつくられてしまった）

同年五月三一日　塘沽《たんくー》停戦協定が結ばれ、これにて満州事変は終息する

同年九月六日　ゾルゲが日本やドイツの動きを探るために来日

同年同時期　尾崎がゾルゲと再会し、日本でのスパイ活動を開始する

昭和一一年二月　二・二六事件（皇道派の陸軍青年将校らによるクーデター未遂事件）

昭和一二年四月　尾崎が近衛文麿の側近が主宰する昭和研究会に参加

同年六月　尾崎が昭和研究会入会、第一次近衛内閣発足

同年七月七日　蘆溝橋事件により支那事変（日中戦争）始まる。最初に発砲したのは共産軍の鄧小平であることを、のちに本人が述べている

同年七月二九日　通州《つうしゅう》事件（中国人部隊が日本の民間人二二三人を虐殺。反中感情が高まる）

同年八月九日　大山事件（上海の租界で日本軍人二名が中国人に射殺される）

昭和一三年七月	尾崎が朝日新聞を退社し、第一次近衛内閣の嘱託となる
同年同時期	尾崎が近衛主催の政治勉強会「朝飯会」のメンバーになる
昭和一四年五月～	ノモンハン事件（日ソ国境紛争）
同年六月一日	尾崎は南満州鉄道調査部の嘱託職員として東京支社に勤務
同年八月二三日	独ソ不可侵条約締結
同年九月	ドイツがポーランドに侵攻し、第二次世界大戦が始まる
昭和一五年九月	日独伊三国同盟
昭和一六年四月	日ソ中立条約成立（松岡外相）
同年九月六日	御前会議
同年一〇月一五日	尾崎秀実がゾルゲ事件の首謀者のひとりとして逮捕される
同年一〇月一八日	ゾルゲが事件の首謀者として逮捕される
同年一二月八日	真珠湾攻撃（日本が先制し、太平洋戦争に突入。同時期、日本軍によるマレー上陸も敢行される）
昭和一八年九月	尾崎、東京刑事地方裁判所にて死刑判決を受ける
昭和一九年	一一月七日、巣鴨拘留所にて尾崎の死刑を執行する。罪名は治

同年同日

安維持法、国防安保法、軍機保護法違反
一一月七日、ゾルゲに対しても同じく死刑を執行。この日は奇しくもロシア革命記念日に当たる。最後の言葉は「世界の共産党、万歳」

日本国内においてもコミンテルンの暗躍は凄まじかった。なぜならその活動は中央の軍部にまで拡大を見せたからである。そして、五・一五事件を引き起こし、軍政府樹立未遂事件で犬養毅首相が暗殺された。さらに二・二六事件が勃発し、諏訪出身の名将、永田鉄山中将はそこで殺されてしまった。

「国を憂いて立つ」という大義名分で青年将校たちが起こしたこの事件は、軍務局長の永田鉄山中将を相沢中佐が白昼に局長室で殺害した事件である。当時日本軍隊の中心的役割を果した先見の明ある永田の死は実に残念である。永田はコミンテルンの策謀を察知していた。永田鉄山が生きていれば満州事変は起きなかったであろう。

この事件の主犯者は処刑されたが、大方の将校は満州に送られた。お国のためになると思って起こした行動が結果的にはロシアを有利にしてしまった。

日露戦争が終結してからは、当時の満州鉄道の維持管理や付随する事業は、ソ連に代わって日本がその任に当たることになった。


ゾルゲ、尾崎たちは昭和五年（一九三〇）から逮捕される昭和一六年までの一一年間、近衛文麿首相からオットー・ドイツ大使まで、政界、軍部・外交・満鉄の幹部、マスコミの中枢にまで食い込み、最高レベルの機密情報を入手し続けた。

そして、共にアジア通である二人は高度な分析力を駆使し、将来予測も併せてコミンテルンへその情報を送り続けていた。ゾルゲは赤軍第四部というコミンテルン直結の諜報機関の中将でもあるので、彼の発する情報は信頼されていた。

彼らのスパイとしての成果は、世界的にも類を見ないほどの成果を上げたとされている。

主なものは次の通り。

①満州事変、日支事変、対ソ衝突事件から第二次世界大戦に至るまで、日本にお

ける政治、軍事、外交の機密情報を入手
②日独伊三国同盟締結に関する情報の入手
③ドイツの対ソ戦開始の情報をソ連よりも早く入手
④日本の対ソ戦略において、北進か南進かの議論に大いに影響を与える
⑤日本陸軍の兵力や行動範囲の情報を送信
⑥日米交渉の推移をつぶさに報告

このように、満州事変、ノモンハン事件、蘆溝橋事件、支那事変（日中戦争）、太平洋戦争の裏では、常にゾルゲや尾崎らのスパイが関わっている。

当時、コミンテルンのスパイらは、日本のみならず、米国政府の中枢にも数多く存在していたという。彼らの最大の任務は自由主義国どうしを戦わせ、壊滅状態にさせ、そこに乗り込んで共産主義化を実現させることであった。

太平洋戦争が勃発する前から、日本は懸命に戦争を回避しようと交渉を続けていた。

そんな最中に突然突き付けられた最後通牒《つうちょう》「ハル・ノート」。これも、アメリカ政府を陰で操るスパイらの仕業であり、日本を無理矢理戦争に駆り立てる策謀だったことが、一九九五年にアメリカ政府が公開したヴェノナ文書によって明らかになった。もちろん、真珠湾攻撃も米国政府の関係者らにとってはシナリオ通り。こういった経過の中で日本は太平洋戦争に突入し、アメリカ、イギリス、フランス、スペイン等とやむなく戦わざるを得なくなってしまったのである。

また、中国においては蒋介石を倒すべく日本の陸軍が激しく戦った。天皇はこの事態に深く疑問を抱き、「なぜ彼を攻めるのか？　彼を攻めてはならぬ」と何度も忠告した。なぜなら蒋介石は大日本帝国陸軍高田士官学校を卒業しており、日本のことを「お国、お国」と呼ぶほどの親日派であったからだ。にも関わらず戦闘は激しさを増していった。その陰には近衛首相を操り、中国戦線を更に煽りまくった尾崎秀実らの姿がある。

よく「近衛文麿首相は弱腰だった。なぜ戦争終結の英断を下さなかったのか」と憤る方もいるが、時の首相がスパイに洗脳されていたのだからどうにもならない。

もっとも近衛そのものが熱烈な共産主義者であったという説も有力だ。どちらにしても我々は、戦う必要のない蔣介石軍と戦い、多くの戦友を失った。それはまぎれもない事実である。

第三二、日本の山間部にも忍び寄る共産主義思想

さてここで、共産主義思想が我々の身近に迫ってきた頃の話をしてみたい。

私は信州の山深く、現在は人口千人程度の寒村の出身である。そして、昭和五年（一九三〇）四月一日、村立の小学校に入学した。ある学識経験者曰く、日本国において最高の義務教育を施すことができたのが大正九年から昭和一三年までとのこと。だとすれば私は運良く、ちょうどその時代に当たっている。

その話は後述するとして、この頃は世界五大強国と云われる時代であった。経済的に見れば、第一次世界大戦でアメリカからヨーロッパに多くの物資が流れた。そ

の反動で日本の生糸《きいと》をはじめ綿織物など生産物資が多く輸出され、日本は好景気の一時を迎えた。だが第一次世界大戦が終結しヨーロッパが平和となったため、アメリカの輸出は減り、アメリカ景気は極端に悪化した。そして、昭和四年（一九二九）一〇月、ニューヨーク・ウォール街の株が大暴落した。いわゆる暗黒の木曜日である。

これらはやがて世界中に大恐慌を巻き起こし、その影響は日本にも津波のように押し寄せた。当村の多くは養蚕《ようさん》業を営んでいたが、一貫目（約四kg）一五円していた生繭《せいけん》（さなぎが生きている繭《まゆ》）が一気に一〇分の一の一円五〇銭となってしまったのである。それまで各農家は盛んに増蚕計画を立て、桑畑の増殖、蚕室《さんしつ》の拡充、養蚕道具の増強などを実現するために借り入れを増やしたが、その借金の返済ができないばかりか、生活そのものも困窮を極めたのである。

併せて、北海道、東北地方の不作で米が採れなかった。長野県の高冷地も同じく作物の収穫が出来ず、一家心中や子供の身売りまで起きた。

この様な状況の時に忍び込んできたのが、共産主義思想である。

「溺れる者は藁《わら》をもつかむ」の諺のように、特に養蚕に力を入れていた若者の中には、共産党に入れば何か救いの手があるかもしれないと錯覚してしまう者もいた。

そのチャンスを逃すまいと、よその町村から来た共産党員は純真無垢な青年らを甘い言葉で次々と勧誘した。

私も当時青年団に所属していたため、こういった現実を目の当たりにしている。そして、昭和一五年頃には私が知るだけでも七人の青年が共産党員となった。いずれも優秀で正義感の強い先輩たちであったが、こういった状況に危機感を抱き、村内のひとりの若者が「青年団の歌」を創った。

青年団中央分団歌　※曲調は旧制一高寮歌（現在の東京大学教養学部）の曲に合せる

一、海抜七千有余尺　空に聳《そび》える御座山《おぐらさん》
流れは清き相木川　ここに生れし我々は
思いは高かし山よりも　心は川より直《なお》清し

二、世の濁流（共産主義）は滔滔《とうとう》と　流れて村に入る来る

奈落の底に沈みゆく　わが愛しき故郷を
如何《いか》にこのまま捨ておかん　救うが我らの使命なるぞ

三、行けや行け行け我が友よ　万難道にはびこるも
我れが前途に光あり　一揆《き》の旗を押し立てて
義憤の拳《こぶし》打振りて　悲願の花たをるまで

二十歳そこそこの若者が共産主義思想の侵入をいち早く察知し、注意を喚起する歌を創った。その慧眼には脱帽する。

第三三、柳条湖《りゅうじょうこ》事件の裏側

戦後の歴史教育では、満州事変、支那事変（日中戦争）、太平洋戦争を一連の「一五年戦争」として捉えている。そしてその原点は、昭和六年（一九三一）九月一八日に起きた柳条湖《りゅうじょうこ》事件を発端とする満州事変だとしている。柳条湖事件とは日本が所有する南満州鉄道の一部が爆破された事件のことだ。

関東軍高級参謀の板垣征四郎《せいしろう》大佐と作戦参謀の石原莞爾《かんじ》中佐を中心とする関東軍は、この爆破を中国軍の犯行だと主張した。だが爆破と言っても片方のレールのみが約八〇センチ、枕木は二本のみの破損と被害は小さく、事件直後も列車が普通に通れる程度のものだった。つまり当時は事件名もつかない出来事であり、あの東京裁判においても特に問題にはならなかった。

ところが昭和三一年（一九五六）、柳条湖事件の時に関東軍の司令部にいた花谷《はなや》正《ただし》氏が「あの事件は関東軍の謀略だった」と証言した内容が雑誌「知性」の中で発表され、その後日本中に知れ渡ることになった。中国軍の犯行だと言われていたのが実は関東軍の自作自演だったという話が出てきたため、その特ダネは中国にも瞬く間に広がっていった。

さて、この爆破をきっかけに関東軍は中国側に攻め入り、中国国民党軍（張学《ちょうがく》良《りょう》軍）と軍事衝突を起こした。そしてわずか五か月ほどで関東軍が満州全土を占領した。

関東軍と中国国民党軍の紛争は二年ほど続いた。この間の軍事衝突を「満州事変」と呼ぶが、お互いに宣戦布告をしたわけではないので、「戦争」ではなく「事変」と呼んでいる。

この満州事変だが、関東軍が万里の長城を越え北京まで迫ってきた頃、中国国民党軍の危機感はピークに達し停戦を申し出てきた。そして昭和八年（一九三三）五月三一日に塘沽《たんくー》停戦協定が結ばれ、満州事変は終息した。

この協定により、支那と満州国との境界線が明確に示されることになった。ただこの時、軍事の天才と称されていた石原莞爾中佐は締結の際に、蒋介石に対して排日運動を停止させ、満州国を正式に承認させるところまで話を詰めなかったことを大いに悔やんでいる。

いずれにしてもその後四年間、盧溝橋《ろこうきょう》事件が起きるまでは平和な状態が続いた。したがって、満州事変が支那事変（日中戦争）を引き起こし、やがて太平洋戦争を勃発させたという、いわゆる「一五年戦争論」は日本憎しの戦勝国側によるこじつけだと言えよう。

ではなぜ柳条湖事件が起こされたのか。ここでは、花谷氏が後年に証言した通り、関東軍の自作自演説を前提にして話を進めてみたい。

事件が起きる三ヶ月ほど前、六月二七日に中村大尉《なかむらたいい》殺害事件が起きた。これは陸軍参謀の中村震太郎大尉が、中国の張学良の配下にある軍人に銃殺され、証拠隠滅のために焼き棄てられた事件である。その際、旅費や護身用のピストルも略奪されている。

関東軍は現役の参謀が殺害されたことは前代未聞だとして、徹底的に調査を開始した。中国側も当初は調査協力を約束していたが、やがて「事実無根」だの「捏造」だのと言い出した。怒った関東軍は事件の真相を大々的に発表した。これにより日本国民は今まで我慢してきた怒りを爆発させたのだが、この反応を見て中国側はようやく事の重大さに気がつく。

そして中国側が全面的に殺害を認めたのが、柳条湖事件が起きた九月一八日の午後を迎えてからであった。ちなみに柳条湖事件は午後一〇時二〇分頃に起きている。

実は関東軍は、中村大尉殺害事件のあと満州が抱える諸問題を解決する好機として交渉に当たるつもりだった。だが実際は幣原《しではら》喜《き》重郎《じゅうろう》外相を中心とする外務省がその任に当たることになった。それに対して作戦参謀の石原莞爾は激怒した。今までの外務省のお役所仕事的な対応が、満州における様々な問題を引き起こしていることに業を煮やしていたからだ。

当時の満州は治安が悪く、支那人らが起こす略奪、暴行、強姦、虐殺等は現地の日本人を恐怖のどん底に陥れていた。

また、満州は日本が日露戦争の末にロシアから正式に譲り受けたものだが、張作《ちょうさく》霖《りん》や息子の張学良《ちょうがくりょう》らは日本の正当な権利を奪おうと長年に亘って戦闘を仕掛けてきている。

こういった一触即発の厳しい現実を関東軍は日本政府に訴え続けてきた。だが当時の幣原外相は平和外交を主軸としていたので、軍事行動は容認しなかった。だがこのままだと現地の日本人の生命が危ういし、日本としても満州を撤退せざるを得なくなる。現地の日本住民たちからは涙ながらに訴えられ、日本国内でも政府や関東軍の対応を腰抜け呼ばわりする風潮が強くなっていた。追い詰められた関東軍は、いよいよ腹を括《くく》る時がきたのである。

意を決した板垣征四郎大佐や石原莞爾中佐らは、あえて小規模な爆破事件を起こし、支那を攻める口実を作った。そしてさっそく中国軍や匪賊《ひぞく》（共産党系盗賊集団）らを排除し、日本人らの身の安全を図ったのだ。

つまりこの柳条湖事件というのは、満州を正当な理由で所有しているにもかかわらず、その利権を脅かされ、しかも日本国民が毎日のように酷い目に遭っている。この事態を打開するために対応した当たり前の防衛行為だったのである。

だが後年、柳条湖事件が関東軍の自作自演だったという証言が出てからは、中国の得意な思想戦が始まる。彼らは日本の侵略の始まりをイメージづけるために、柳条湖事件のことを「九一八事件」と呼ぶようにした。以後、「卑劣極まりない日本の侵略を忘れないための記念日」ということで大々的に喧伝し、現在に至っている。この日が来ると中国では反日・抗日ムードが一気に高まり、国民に一体感が生まれる。支持率を気にする為政者とすれば、こんな都合の良い記念日はない。

日本人の多くは武士道精神を秘めているので、相手の非のみをことさら糾弾し、いつまでも自分の優位性を保つ、という考え方は嫌う。ところが反日教育が徹底している中国では日本に対して容赦はない。だが、仏の顔も三度までだ。いよいよ心を鬼にして毅然と反論する時が来た。さもなければ日本は永久に肩身を狭くして生きることになる。そんな惨めな思いを未来ある子供たちにさせるわけにはいかない。

満州事変の陰には中国共産党やその生みの親であるコミンテルンのスパイらも暗躍していた。彼らは日本が戦闘を終息させないようにあの手この手で長引かせようとした。満州事変を契機に支那事変（日中戦争）へと事態を悪化させ、さらには世界大戦へと日本を誘《いざな》ったのも彼らの暗躍によるところが大きい。

自由主義国どうしが潰し合いをすれば国が疲弊する。その時が自由主義国を赤化するチャンスであり、彼らはそれを狙っていた。現在の日韓問題も然りだが、この恐るべき策謀を知らずして世界を語ることは出来ない。

第三四、盧溝橋事件と南進政策の罠

世界恐慌が広がり、欧州を中心とした資本主義諸国の結束を謳うヴェルサイユ体制は崩れつつあった。その中で、軍備を拡大して戦争特需を狙った経済への転換、ブロック経済の実現に向かったのはイタリア、ドイツ、日本の三ヶ国と言われている。

イタリアはファシスト党のムッソリーニが政権を掌握し、エチオピア侵略を進めたことで国際連盟と激しく対立していた。

ドイツはナチス党（国家社会主義ドイツ労働党）を率いるヒトラーが政権を掌握。ヴェルサイユ体制の打破を訴えて国際連盟を脱退し、公然と再武装を開始していた。

一九三六年（昭和一一）にスペインの内乱が勃発すると同時に、両国はフランコ将軍を援助した。その資金源の多くはコミンテルン中将のゾルゲだと言われている。

一九三七年（昭和一二）七月七日に盧溝橋事件が起きた。この戦いの火蓋《ひぶた》を切ったのは清国（蒋介石）の兵ではなく、コミンテルン中国共産党支部の武装集団、八路軍の疑いが強い。これを契機に日中戦争となり、中国全土に戦線が拡大していった。

しかも毛沢東と蒋介石が抗日民族統一戦線を結成したので、日本の近衛内閣は「蒋介石の国民政府を相手とせず」と発表。中華民国の文人政治家で知日派の汪兆銘《おうちょうめい》を首班とする新国民政府を樹立し、日本・満州・中国の三国連帯による東亜新秩序の建設が戦争の目的であると発表する。

だがこの目標は、汪兆銘政府の消滅と共に崩れ去ってしまった。そしてこの時点において、日本は中国と戦う必要がなくなった。また、日独伊三国同盟を結ぶ必要も全くなかった。

しかしながらソ連は、国境の百万の関東軍を非常に恐れていた。よって彼らを南進させてソ連軍から引き離した。策謀を企てたのがゾルゲ、尾崎らである。

これらの策謀は近衛内閣の時に練られたものである。そして、近衛退任後に就任した首相らも、敷かれたレールの上を走った。

尾崎は盧溝橋事件を第二次世界大戦に繋げられると判断。彼は、中国と日本の全面戦争をどうすれば拡大できるか、中国研究の専門である自分の使命として策を巡らしたのである。

第二次近衛内閣が昭和一五年七月二二日に発足。それと同時に、戦争続行の新体制運動が開始された。大政翼賛会が結成され、二大政党はなくなり、内閣、官僚、軍部は独裁となった。そして、陸軍と官務は地方長官の府県知事を支部長とし、在郷軍人を組織の中核とした。つまりはドイツのナチス的な組織に切り替えられてしまったのである。

中国側（蒋介石）の要人、賈存得《かそんとく》は「このままで行けば日中共倒れとなり、アジア全体の不幸を招来する。何としても全面平和の道を講じなければならない」と主張した。そして蒋介石以下、国民党首脳部の面々とも極めて親しい間柄であった萱《かや》野《の》長知《ながとも》と四月二〇日頃、上海カイセイホテルで第二回目の会見を行った。

五月の初め、孔祥熙《こうしょうき》行政院長は蒋介石と日華和平条約案について協議した。孔院長自身の筆で書いた条件は、

①日華双方とも即時停戦すること。
②日本は中国の主権を尊重し撤兵声明すること。
③日本側の要求する満蒙問題の解決については、原則としてこれを承認するが、具体的には日華両国の協議とすること。

以上の三項目である。

そこで萱野長知は、この中華民国の財政家でもある孔祥熙の書面を携え、日本政府及び軍部と協議するため東京に向かった。昭和一三年五月六日上海を出発し、九日に到着。そこで萱野老は小川平吉とも協議した上で、板垣陸軍大臣、近衛首相と談判し、全面和平の実現に快く賛同を受けた。板垣も近衛も萱野老の交渉と孔祥熙

の提案を承認し、日華双方とも和平の実現に努力することになった。そこで萱野老は五月一七日東京を出発して上海に向かったがその道中、上海の同盟通信の支局長をしていた松本重治氏によくぞと思ってこの事を話した。

ところがこの会話が運の尽きとなってしまう。順調だった和平交渉が一気に暗転してしまったのだ。松本は尾崎秀実とは親しい間柄である。この日華和平を一番恐れていた尾崎は、松本から和平交渉の話を聞くやいなや電光石火のごとく日本に電信を打った。

そんなことを露知らない萱野老は、孔祥熙行政院長と和平条約の内容をまとめ六月二八日、再び東京に向かった。到着と同時に板垣陸相に会って和平交渉の結果を報告したところ、板垣の態度が一変した。そして「平和条約を結ぶ必要なし」という判断を下したのである。

そこで萱野老は近衛首相にも会って直談判した。だが近衛も板垣と同じことを言い、「中国側は戦意さらになし」と、尾崎秀実が主張する通りのことを繰り返すばかり。これにより、せっかくの日華和平の交渉も実現の一歩手前で打ち砕かれてしまった。誠に残念至極である。

第三五、日中戦争唯一の停戦協定を懸命に妨害した尾崎

一方、日本軍が漢口や南京を陥落させたにも関わらず、国民政府は重慶に移動しただけで、降参などしない。高宗武《こうそうぶ》の言うごとく、蒋介石政権は手も上げず、萱野老の努力も空しく、尾崎秀実の計画通り長期戦となってしまったのである。近衛首相が内閣のブレーンとなっていた尾崎をいかに信じ切っていたか。これが何よりの証拠である。

また尾崎は、蒋介石の国民党政府の弱体化を図るために「国民党政府は中国の国民全体から支持されておらず、正当性がない」といった偽りの記事を新聞紙上で扇動的に書き続けた。そうすることで、「日本の武力攻撃の対象となっても致し方なし」

という誤った認識を中国国民に植え付けようとしたのである。このような恐ろしい策謀も、高等なスパイである尾崎だからこそ成せることだった。

また、日本軍も尾崎の策謀が読めないどころか、味方として信じ切っていた。ただし日本軍が攻撃する際、蒋介石が優勢になると八路軍が迫撃砲で援護射撃をする場面もしばしばあった。居合わせた日本軍は不思議に感じたに違いない。

前述したが私が十五歳の頃、在郷軍人会長の中島某さんが、支那事変から帰った当時に戦場の話をしてくれたことがある。彼は「八路軍とは面白い部隊でな、時により、日本軍がやられそうになると迫撃砲を蒋介石軍の方に発射し、日本軍には打ち込まなかったんだ」と言った。それを、子供心に不思議思って聞いた記憶がある。

八路軍とは中国共産党毛沢東の率いる、コミンテルン中国支部の武装組織部隊である。

彼らは日本の戦力を利用して蒋介石の国民党政府を滅ぼすことを企《たくら》んでいた。また日本側も政府、軍部、国民がことごとく尾崎の美言に惑わされていた。毛沢東による中国共産党一党独裁国建設のための闘《たたか》いとは誰一人知らなかったのである。

更には昭和一三年（一九三八）一月一六日に、近衛首相が「国民党政府を相手とせず」の声明を発表するに至り、唯一の講和会議の相手である蒋介石を否定してしまった。これにより日本は、先の見えない対中戦争の泥沼にはまり込んでしまったのである。

近衛首相と尾崎は、日中戦争を誘発させ、拡大し長期化させることに使命感を燃やした。尾崎の「日中戦争を拡大せよ」「戦闘を長期化せよ」との煽動は激しく、そして執拗に続いた。蘆溝橋事件からわずか二ヶ月半の九月には、尾崎は日中戦争の長期化を狙った論文を書いている。

例えば「日本が中国と始めたこの民族戦の結末をつけるためには軍事的能力をあくまでも発揮して敵の指導部の中枢（南京）を殲滅する以外ない」とか「元が南宋を亡ぼすのに四五年かかっている」、或いは「清が明を亡ぼすのに四六年かかっている」と云った内容で政府首脳らまでも攪乱させた。

尾崎は元や清の例を引き合いに出してまで長期の戦争をすべきだ、講和は絶対にしてはならない、と日本陸軍を煽り続けたのである。

天皇は、この真相をご存じなかった。

蒋介石は新潟県高田市の陸軍士官学校の卒業生である。日本を「お国、お国」と慕い、尊敬していた人物であり、それをご存知の天皇は「蔣介石に何の罪があるか」と問われた。だが、誰も答えられなかった、という事実がある。日本人の美しい道徳心や武士道を若くして体得していた蔣介石の心情はいかばかりであったか。日中戦争は人間どうしの愛情や友情までも踏みにじってしまったのである。

第三六、支那事変（日中戦争）の裏側

日本軍は、蒋介石の率いる国民政府と毛沢東の率いる中国共産党の対立の中で、国民政府軍張作霖の子、張学良《がくりょう》と停戦協定を結んだ。そして一九三六年（昭和一一）一二月には「西安事件」が起きる。これは、張学良が蒋介石を監禁し、国共内戦の停止と挙国一致で抗日を要求した事件である。周恩来の説得等もあり中国の内戦は終結した。そして「抗日民族統一戦線」が組まれ、日本への徹底抗戦が始まったかに見えた。

ところが一九三七年（昭和一二）七月七日に「蘆溝橋事件」が北京郊外にて起きる。これは共産軍の策謀とも言われているが、「日中戦争」のきっかけとなったことは間違いない。

日本軍は尾崎の思惑通り破竹の勢いで前進し、中国全土に攻め入ったのである。南京の攻略は毛沢東では力不足。日本軍を見事に操った尾崎はすこぶる満足だったに違いない。


尾崎の論文の中には次の様な一文もある。

「一部に弱きらしき見解（講和論）が生れつつある……この程度の弱気もまた有害にして無意味なものとして斥《しりぞ》けたい」、「もはや中途半端な解決法というものは断じて許されない」、「唯一の道は中国に勝つという他はない。中国との提携が絶対に必要だとする主張は意味を成さない」（『中央公論』一九三八年六月号）

これらの論文を雑誌や朝日新聞などに書いた狙いについて、尾崎は逮捕された時、玉沢光三郎検事らに次のように答えている。「日本は日中戦争はやりたくなかった。だから何回も講和を締結しようとした。しかし、今戦争をやめれば、スターリンのアジア共産化計画が立ち消えになる。それを恐れて、日本陸軍を執拗に煽動したのだ」と明言し、尋問書にも記された。

日本は中国との講和ができず、国際連盟を脱退せざるを得なくなり、米英に宣戦布告までされてしまった。つまり、東アジアに共産国連邦を形成するために、コミンテルンの一員であるゾルゲや尾崎らは目覚ましいスパイ活動を行ったということになる。そのため、おびただしい人々が謀略の餌食になってしまった。

尾崎の『尾崎秀実手記』（一）（上申書）昭和一六年六月にはこう書かれている。

「私は昭和一二年七月七日、日華事変の拡大を早く予想していたのみならず世界戦争へ発展することを断定し、それのみか、私の立場からして世界革命へ進展すべきことすら暗示したのでありました。」

このことから、「尾崎はかなり高度なテクニックを駆使して真意隠しをしている」と中川検事は述懐している。

この日中間の全面的かつ無期限戦争を欲した尾崎の狙いは次の三点である。

第一、中国の共産化

第二、日本及び朝鮮半島の共産化
第三、日本の軍事力を対中戦で浪費させることによって、ソ連への侵攻能力を限りなくゼロにすること

尾崎の論文「長期抗戦の行方」では、日華事変を「日本を本質的に根本的に改造をもたらすもの」だと論じ、「日本の社会主義化、共産主義化が目的だ」と隠さず述べている。根本的の改造とは共産革命を意味しているのである。

また、「敗北支那の進路」という論文では「中国における統一は非資本主義（共産主義）的な発展の報告と結びつく」と結論づけて日中戦争の進路が中国共産化だと、鋭く予見している。

熱烈に共産主義を信奉する尾崎は、レーニンの「敗北革命論」を信じており、第二次世界大戦は、戦争に敗れて疲弊した国から社会主義国家（共産主義）が生まれると考えていた。従って第二次世界大戦を煽り続ければ、中国、日本、韓国などは否応なしに共産国になるとの信念を強く持っていたのである。

尾崎は昭和一七年二月一四日の「司法警察官尋問書（第九回）」でも同様のこと

を論じている。

「第一次世界大戦がロシアをソビエト連邦にしたごとく、第二次世界大戦でその戦争に敗れ、あるいは疲弊した側から初めて多くの社会主義国家を生み、やがて世界革命を成就するに至るものと思っておりました」と証言。

更に尾崎は、第二七回検事尋問書で現下の世界情勢を聞かれて、次のように答えた。

第二次世界大戦が不可避であることを早くから予想し、これをしばしば断言してきたというのだ。

そして今後起こり得る事として、第一に日本はドイツ、イタリアと連携するであろう。第二に日本は結局、米英と闘うに至るであろう。そして最後には、我々はソ連の力を借り、まず中国の社会主義国への転換を図り、これの関連において日本の社会主義国への転換をはかるべきだと分析し予言も加えている。

これらの言動は、国家警察に逮捕されてはいるものの、スターリンの命によるコミンテルンの中核人物として、豊富な資金を使って人の良い日本の政治家、軍人、企業家を完全にダマし、すべて自分の思い通りに事が進んでいるという自信の現れでもある。

日本としては、やってはならない戦争を仕掛けられ、戦争中止の講和会議を打ち壊され、国際連盟まで脱退させられ、日米英戦を無理矢理仕掛けられた。尾崎はその仕掛け人のひとりである。さぞかし得意だったであろう。

尾崎には、「東亜新秩序」と呼ぶ東アジア全域を共産化させる「全体ビジョン」があった。共産ロシア―共産中国―共産日本を結ぶアジア三国同盟と、これを中核として他のアジア諸国との「相互連環」をつくり、最終的には自分の理想とする「東亜共産新秩序」がつくられていく。従って、尾崎にとってこの大東亜戦争とは東アジア全体の共産化のための戦いであった。

昭和一六年（一九四一）十月一五日、尾崎秀実がゾルゲ事件の主犯として逮捕される。近衛首相はじめ内閣の面々は、騙されたまま戦争の深みにはまり込んで行った自分たちの不明を心底恥じ、後悔したに違いない。特に近衛首相の心境たるや察して余りある。尾崎の供述の数々は、彼の心に容赦なく突き刺さったであろう。そ

れを裏付けるがごとく、彼は敗戦と同時に自殺した。（※暗殺説も有力）

太平洋戦争の開戦直前、アメリカのフランクリン・ルーズベルト大統領とハル国務長官からいわゆる「ハルノート」が送られて来た。その中味は、

一、日独伊三国同盟廃棄
二、中国を満州事変以前の状態に戻す
三、フランス領東印度進撃を直ぐに取り止める

以上の三点であった。

「たいへんな事になった」と感じた近衛首相は、一刻も早く御前会議を開き、危機を脱出すべくハルノートを受け入れ、停戦に漕ぎ着けようとした。

ところが御前会議において、陸軍大臣の東條英機は断じてこれを許さなかった。「今まで攻撃一本で進めて来た首相が急に何事か」と激しく詰め寄った。結局、主戦派の陸軍大臣に押し切られ、近衛内閣は総辞職の止むなきに至った。これにより、主戦派の東條内閣が誕生したのである。

天皇は大いに不穏を感じ、明治天皇の「平和の御製」を一首詠み平和を祈ったが、功を結ぶことはなかった。

東條は政治家ではない。軍人の大将である。戦争に勝とうとする信念は強いが、機を見て迅速に停戦や和平への道筋をつけるといったことは苦手だった。

昭和二〇年（一九四五）八月九日。それまで味方のフリをしていたソ連は、日本の敗戦が決定的となるや否や、千島・樺太住民や満州の開拓民らを激しく襲った。婦女子は手あたり次第に強姦し、無防備かつ無抵抗の多くの住民らを銃殺し、火炎放射器などで焼き殺したのである。

その後、戦勝国の一員に加わり、図々しくポツダム宣言会議にも加わり、日本国を再び立ち上がらせないよう躍起になった。それだけではない。日本の領土である樺太を根こそぎ取り上げ、さらには千島列島、北方四島まで横取りしてしまった。島民は追い出され、その怒りは今でも治まることはない。

現在もロシアとはただ一国のみ平和条約が結ばれていない。表向き親しいように見える安倍首相とプーチン大統領だが、日本の首相たるもの過去の歴史を頭に叩き込み、決して安易な妥協はしないよう、肝に銘じて頂きたい。

第三七、国共内戦と文化大革命、そして近衛内閣の行方

日本が敗戦の憂き目にあったあと、共通の敵を失った中国国民党と中国共産党が覇権をめぐり対立するようになる。そこで、自由主義国のアメリカは四百万の兵力を蒋介石に整備させ、一気に毛沢東を殲滅《せんめつ》しようとした。大東亜戦争終戦直後の一九四五年九月から始まった、いわゆる「国共内戦《こっきょうないせん》」である。

一方、毛沢東率いる八路軍（中国共産党軍）は日本軍を首尾よく騙し、蒋介石軍と再び戦わせようとした。その後、八路軍は在留日本人らを徴兵し、女性は看護婦などの仕事に就かせるなど日本人を徴用した。天皇は「なぜ蒋介石と戦うのか？彼と戦ってはいけない！」と再三忠告したが、もはや誰も聞き入れる者はいなかっ

た。

そうこうしている間に、八路軍は一ヶ師団から一二〇ヶ師団に増強し、さらに民兵を六百万人までに増強し蒋介石を攻めた。

しかしそんな中、昭和二一年（一九四六）二月、世にも恐ろしい「通化事件《つうかじけん》」が起きる。これは満州国通化省通化市において、満州に移民していた日本人約三千人が虐殺された事件である。

加害者は中国共産党軍（八路軍）と朝鮮人民義勇軍。

虐殺した理由は、日本に引き上げるために集まった満州移民らを戦力にしようとした支那共産党軍（八路軍）らに対して、日本人が蜂起したのが直接の原因である。だがこの時に行われた虐殺、強姦、略奪、処刑などは、関係文書を伝え聞くだけでも戦慄を覚える。

この時、朝鮮人民義勇軍も事件に加わったがその際、「三六年の恨み！」などと叫んで襲い掛かってきたそうだ。「三六年」というのは一九一〇年からはじまった日本統治時代のことを指している。ロシアの属国となるところを免れ、日本人のお陰で国家として独り立ちできるようになったわけだが、それを「恨み」と考える韓国人は多い。

結局八路軍はますます勢力を拡大し、一九四九年（昭和二四）、蒋介石を主席とする中華民国政府は台湾に逃避することになる。蒋介石は遂に勝利することができず、泣く泣く私物財産をまとめて台湾に逃げざるを得なかった。


この様に多くの日本人が虐殺された中で判明したことは、日本軍にとって本当の敵は蒋介石軍ではなく中国共産軍だったということである。

私が当時実際に体験した不可思議な事柄。それらの話を繋ぎ合わせると、やはり日本の近衛首相をはじめとする政府要人や軍部、そしてアメリカ大統領や政府要人などに至るまで、コミンテルンのスパイらに騙されていた、あるいは共謀していたという説は理解できる。

だが返す返すも残念なのは、日本も米国も気がつくのが遅すぎた。

結局、日米をはじめ自由主義国の多くが互いに戦争をさせられた。日本に至っては本来争う必要のないアメリカに原子爆弾まで落とされ壊滅状態となってしまった。こんな悲劇が地球上で実際に起きたのである。世界を共産主義一色に変えようするコミンテルンの恐ろしさが身に染みてわかるというものだ。

さて、蔣介石軍を破り圧倒的な勝者となった毛沢東は、あの悪名高き「文化大革命」を引き起こす。一九六六年（昭和四一）から一九七六年（昭和五一）まで一〇年に渡って続いたこの革命は、実は「大躍進政策」で失敗して第一線を退いた毛沢東が復権を狙って画策した事件である。早い話が共産党内での権力闘争なのだが、この時に権力を握っていたのが鄧小平《とうしょうへい》共産党書記長や劉少奇《りゅうしょうき》らである。

彼らは資本主義の良い部分、つまり市場原理を一部取り入れながら経済発展をさせつつあったが毛沢東はこれを一切認めず、民兵（紅衛兵《こうえいへい》）らを利用して文化大革命を起こした。「革命は暴動であり、一つの階級が他の階級を打ち倒す激烈な行動である」とは彼の言葉だが、「密告制度」などを巧みに利用し、共産主義に反対する者は親も子も友人も関係なく殺させた。

実際は更に「おぞましい事」が行われたようだが、身の毛もよだつ内容なので書くことは控えたい。

この文化大革命の犠牲者は数千万人とも言われ、ロシア革命以上に残虐性の高い事件だと言われている。ところが中国は、革命から七〇年以上の歳月を経た今、中国の子供たちに対して祖父母や親戚などが「文化大革命」によって殺されたとは教えない。それどころか「日本の侵略による中国人の死傷者は三五〇〇万人」などと日本兵に濡れ衣を着せ、信じがたい反日教育を行っている。元日本兵としてこれほど怒りを覚えることはない。

「南京大虐殺」もそうだ。日本兵が数十万に及ぶ大虐殺を行ったなどという捏造話が中国ではまかり通っている。中国共産党の恐ろしさは、今でもこんな反日教育で子供たちを洗脳しているところにある。中には捏造話を真に受ける日本人もいるが、反日教育や反日政策などによって政権の支持率を保とうなどという姑息なやり方は、結局自国の不利にしかならない。

スパイ人生の中で尾崎は、「共産主義」や「ソ連」といった相手に警戒感を与える言葉は決して口にしなかった。また、死刑になるその日まで、機密情報を最愛なる妻にも話さなかったという。スパイなどと云うのは窮屈極まる人生だが、思いが極まればそれも楽しからずやということだろうか。

尾崎は日本の部隊長に「日本の軍隊は強い。今清国を倒すのは朝飯前であり、連戦連勝は間違いない。重要なのは、満州国を独立させて日本の支配下に置き、中国大陸に進出することだ」と主張した。そして将校たちは、尾崎から渡されたカネを、生活苦にあえぐ日本の実家に送り、「空馬《からうま》に怪我なし」の心境で尾崎の口車に乗った。

二・二六事件で満州に送られた将校たちは、国のためと思ったか、世界恐慌により生じた経済の混乱、社会への不安感を少しでも和らげようとした。具体的には、広大な面積を有し、市場としても大いに利益や権益を見込める満州を手に入れたいと思ったのである。

「満州事変」を「ゾルゲ事件」と称する理由は、ゾルゲや尾崎らの策謀によって起きた事件だからである。日本は満州を拠点とする張作霖《ちょうさくりん》の軍閥を支援していたが、なぜか張は日本からの独立を扱いかねるようになっていった。そして、「満鉄の破壊は蔣介石軍に在り」という不実を思い込まされ、それによって起こされた事件なのだ。

近衛首相は尾崎を「日本国における忠義の士」と思い込み、一心同体のような心持ちで内閣の最高顧問にしてしまう。その後、尾崎の思惑通りに計画は進み、昭和一五年の近衛内閣改造の時には、既に敗戦へのレールが出来上がってしまった。こうなれば、あとは誰が首相に就いてもその道を突き進むしかない。かくして、昭和一六年、日本は勝算なき未曽有の戦争へと突入していったのである。

この真実を朧《おぼろ》げにも知っていたのは海軍の名将達だった。しかし、近衛内閣があまりに尾崎を信頼しきっていた為に覆《くつがえ》す事ができなかった。

世界恐慌が広がりヴェルサイユ体制が崩れつつある中で、軍備を拡大して軍需産業に頼る経済への転換、或いはブロック経済の実現に向かったのはイタリア、ドイツ、日本の三ヶ国といわれる。

イタリアはファシスト党のムッソリーニが政権を掌握し、エチオピア侵略を進めたことで国際連盟と激しく対立していた。ドイツはナチス党（国家社会主義ドイツ労働者党）を率いるヒットラーが政権を掌握。ヴェルサイユ体制の打破を唱えて国際連盟を脱退し、公然たる再武装を開始していた。

一九三六年（昭和一一）スペインの内乱が勃発すると同時に、両国はフランコ将軍を援助した。なぜならばムッソリーニもヒットラーもそれぞれロシア革命の影響を受け、ゾルゲの支援を受けていたからである。

一九三七年（昭和一二年）七月七日に蘆溝橋事件が起きた。だが、この戦いの火蓋を切ったのは清国（蒋介石）の兵ではなく、中国共産党コミンテルン支部の武装集団、八路軍だった。これが日中戦争となって中国全土に戦線が拡大し、毛沢東と蒋介石が抗日民族統一戦線を結成した。

その時に近衛内閣は「蒋介石の国民政府を相手とせず」と発表。汪兆銘《おうちょうめい》を首班とする新国民政府を樹立し、日・満・中国の三国連帯による東亜新秩序の建設が戦争目標であると発表する。だがこの目標は、汪兆銘政府の消滅と共に崩れ去ってしまった。そしてこの時点で、日本は中国と戦争する必要がなくなり、日独伊三国同盟を結ぶ必要もなくなっていた。

だがソ連にしてみれば、国境に滞在する百万の関東軍の存在は怖い。その恐怖を解消するには関東軍を南進させることが重要であることから、ゾルゲや尾崎らは緻密な計画を立てた。

尾崎は、盧溝橋での発砲事件を第二次世界大戦の始まりにしようとした。それにはまず、この事件を中国と日本の全面戦争に拡大させなければならない。中国研究の専門家でもある尾崎はその難問解決に使命感を燃やした。

折しも日本の第二次近衛内閣が、昭和一五年七月二二日発足と同時に戦争続行の新体制運動を開始した。そして大政翼賛会が結成され、二大政党は消滅し、内閣と官僚をないがしろにした軍部独裁体制となっていった。例えば陸軍主導で地方長官の府県知事を支部長としたり、在郷軍人を組織の中核とするなど、さながらナチスドイツの様な組織に切り変えられてしまった。

結局、スターリンの思惑がゾルゲや尾崎を通して日本の内閣までも動かすことになったのである。

第三八、感謝の言葉を述べる毛沢東の本心は…

日本の主たる都市が焼け野原になり、さらに広島、長崎に原子爆弾投下。この戦争で死亡が確認されたものだけでも三二〇万人という。負傷者はその三倍。合わせると日本人約一千三二〇万人が死傷してしまった。

「よくもこれだけ日本国を叩き、日本国民を殺したな！」と日本人は怒りと悲しみで震えた。そしてやがて、日本人は焦土の中から立ち上がって行く。その中心となったのは、日本に残された、或いは戦地から還ってきた青年諸氏だった。

彼らは「国破れて山河あり、しかしながらそこには日本男児あり！、大和撫子あり！」と頑張ったのである。大正九年から昭和一三年までの日本の義務教育は、崇高なる道徳教育と武士道精神が当時の青少年にしっかりと施されている。そういった教育を受けた純粋無私の若者たちがリーダーとなり、血と汗のほとばしる涙ぐましい努力を続けたのである。その結果、日本は驚異的な復興を果たし、わずか三〇年の間にアメリカに次ぐ、世界第二の経済大国にのし上がった。

そして、サンフランシスコ平和会議において国連にも参加。人類の平和と進歩と正義を実現すべく国連の一員となり、負担金においてもアメリカに次ぎ世界第二位となった。中国やソ連の負担金はそれに較べ遥かに低いことはご承知の通りである。

現在の経済学者の中には、「外国人労働者を安易に入国させなかったことが、日本が奇跡の経済成長を遂げた最大の要因」と唱える方もいる。確かにその通りだと思う。だがもっと言えば、当時の日本の若者の勤勉さ、実直さ、剛健さが世界一であり、その人間力が一番の原動力だったと私は信じている。だてに「金の卵」と呼ばれていたわけではない。

ところで、昭和五五年（一九八〇）には日中和平友好条約が締結された。その後、もともと日中戦争に反対していた天皇陛下が中国の首相、鄧小平に謝罪している。

そして毛沢東は、かつて日本軍への感謝の言葉を再三に渡って述べている。

昭和三九年（一九六四）七月十日、日本社会党の書記長が「日本の皇軍が中国を侵略したのは、非常に申し訳ないことだ」と言うと、毛沢東は「私はそう思わない。もし皆さんの皇軍が中国の大半を侵略しなかったら、中華人民が団結して皆さんに立ち向かうことができなかったし、中国共産党は権力を奪取し切れなかったでしょう。ですから、日本の皇軍は我々にとって素晴らしい教師であったし、何も申し訳なく思うことはありません。日本軍国主義は中国に大きな利益をもたらし、皆さんの皇軍なしには、われわれ共産党が権力を奪取することは不可能だったのです」と答えたという。毛沢東は何人かの日本の要人にこの様なことを話している。

「共産党のスパイにまんまと騙されてくれてありがとう」、私にはそうとしか聞こえない。

また毛沢東は切々と「過去のことは水に流そう」と言った。さらに「日本が攻めこんで来たので蒋介石が後退した。われわれ八路軍は初め三個師団だったが、日本が蒋介石を重慶まで押し下げてくれたので、日本軍の占領地域の後方が広がり、八年間に一二〇個師団一二〇万人の兵力となり、さらに数百万人の民兵までつくることができた。抗日戦争後、アメリカは蒋介石軍四百万人を装備し、我々を攻撃したが、三年間でこれを打ち破った。それ故、日本の皆さんだけを責めるのは不公平と思う」と言った。

毛沢東は日本軍のお陰で、夢に見た大国の指導者となった。中国上海でソ連のゾルゲと日本の尾崎が企てた謀略が首尾よく実行され、日本軍を利用して蒋介石を滅ぼすことができた。

そんな胸の内は一切語ることはなかったが、表向き日本に感謝してみせるところが中国人のしたたかさである。悔しいけれども、そういった空恐ろしい外交戦略というものが彼らの中にはある。

一九五一年（昭和二十六）、米国議会聴聞会でダグラス・マッカーサーは「過去一〇〇年でアメリカが犯した最大の過ちは、共産主義勢力を中国で増大させたことだ」と指摘している。

その意味を我々は噛みしめたい。中国共産党は今や、日本を飲み込むのは時間の問題とほくそ笑んでいる。。

第三九、敗戦と憲法の改正

見渡す限り焼野原となった首都東京。ところがアメリカは、敗戦確定で瀕死の状態にある日本に対して、広島、長崎と原爆を投下した。民間人の大量殺戮である。

昭和二〇年（一九四五）八月一五日、昭和天皇はラジオで全国民に敗戦を告げ、ポツダム宣言を受諾、連合国に無条件降伏をした。

アメリカはマッカーサーを最高司令官とするＧＨＱ（連合国総司令部）により、日本を非軍化し、民主化政策を実施した。陸海軍をいち早く解体すると共に、戦争犯罪人を逮捕。財閥や多数の地主制を「軍国主義」の温床になるとして解体してしまった。また治安維持法を廃止して思想や宗教、政治活動の自由を保障した。さらには女性の参政権を実現させ、民主主義教育を導入し、小中学校は男女共学となった。

そしてついにGHQは、憲法の改正を日本政府に要求することになる。ところが、内閣や学者らの間で新憲法についての認識や考え方が対立して埒《らち》が明かない。業を煮やしたマッカーサーが改正素案を示した。昭和二一年二月にようやく日本政府が改正案を提出したが、それをあえなく却下し、「象徴天皇制、戦争の放棄、基本的人権の尊重」を掲げたGHQ案を突きつけ、これを基に新たな憲法を作れと政府に迫った。

政府は民主化を徹底的に押し付けるGHQ案に戸惑ったが、各国から天皇の戦争責任を追求する声が高まっていた中で、なんとしても矛先を変えなければならない。マッカーサーとしても天皇の存在意義は充分に理解していたので、円滑な占領政策を進めるために天皇を「象徴」とした憲法の改正案受諾を日本政府に迫った。両者の思惑は様々あっただろうが、結局政府はGHQの改正案を不本意ながら呑むことになる。

そして、時節が来れば改憲もできるだろうことを視野に入れながら、昭和二一年

（一九四六）四月、政府は遂にＧＨＱの案に基づく憲法改正案を発表した。そして国会審議を経て、一一月三日に「日本国憲法」として公布、翌年五月三日、半ば押し付けられたような憲法が施行されてしまったのである。

第四〇、天皇の涙

「戦争責任のことを言われると辛いが、仕方ない」と天皇は日記に記したと言われる。作家の半藤一利氏や小林忍侍従《じじゅう》官《かん》、ノンフィクション作家の保阪正康氏などの著書で紹介されている天皇の日記を読むと、天皇は第二次世界大戦を最初から反対していたことがよく解る。

天皇は昭和六二年（一九八七）四月、倒れる直前に「細く長く生きても仕方がない」と発言された。帝王学から鑑みればあるまじきご発言である。しかしながら帝王学から解き放たれ、国の象徴となった天皇としては自然に吐露された言葉だったのかもしれない。弟である高松宮との死別や戦争責任への深い思い。「天皇陛下バンザイ！」と叫んで死んでいった多くの国民。そんなつらい現実を目の当たりにしてきた天皇の内面は、実に荒涼とした、悲哀に満ちたものだったのだろう。

弱気な発言を気に病んだ昭和天皇は入江相政《すけまさ》侍従長から励まされたという。その際、涙をお流しになられたそうだ。確かに、在位六〇年を祝う写真集の中に昭和天皇の頬に涙が伝っていた写真がある。

さらには、「私の名において戦争をした。私はどうすれば良いのか」と云う自問自答が常に繰り返されるようになっていったとのことである。

戦後の全国巡幸で東北へ行かれた時、幼い女の子が遺骨を差し出した。昭和天皇の頬がひくひく動いた。元侍従長の入江によると、それは既にお泣きになられている状態だという。「天皇は国民の前で涙を流してはいけない」と育てられているので、そういった窮屈な泣き方が身についてしまわれたのかもしれない。それでも国民に対して感情を示されたということは、幼少の頃より学ばされた帝王学、あるいは一五歳から授けられた軍人教育から解き放たれたことを意味する。年を重ね、涙もろくなったこともあろうが、人間裕仁を垣間見た思いだ。

昭和天皇は二・二六事件が起きた日には、毎年喪に服している。亡くなった重臣たちへの哀悼である。青年将校は「君側《くんそく》の奸《かん》」（悪い家臣）と非難されたが、天皇からすれば「股肱《ここう》の臣」（最も信頼できる家臣）。

昭和天皇の御魂に衷心より祈りを捧げたいと思う。

第四一、東京裁判の不当性とゆがめられた日本兵の姿

言うまでもなく、戦争はやってはならない。しかし現実には日本は満州事変、支那事変（日中戦争）、太平洋戦争などに巻き込まれてしまった。

「巻き込まれてしまった」と書くと、違和感や嫌悪感を抱く方も多いことだろう。なぜならば戦後の歴史教育では「満州事変から太平洋戦争までは一五年戦争として一貫性があり、日本の軍部による卑劣な暴走は最後まで止むことはなかった。だから原爆を落とされても仕方なかった」と教えられているからである。

そして、この自虐史観とも言える偏った考え方を持つようになった原因のひとつが、極東国際軍事裁判、世にいう東京裁判である。

「喧嘩両成敗」という公平公正を旨とする言葉が日本にはある。しかしながら東京裁判なるものは、「全員無罪」を主張したインドのパール判事など一部の良識派を除けば、復讐に燃える戦勝国らによる集団リンチのような裁判であった。戦争犯罪人として東条英機をはじめ多くの軍人が処刑されたが、空襲や原爆で民間人を大量殺戮した米国の関係者らは何のお咎《とが》めもないし謝罪もない。明らかに戦争犯罪であるにもかかわらずである。

ではなぜ日本は一方的に悪玉にされてしまったのか。冒頭でも述べたように、その根底には民族と肌の色に対する人種差別がある。白人至上主義の歴史は古いし関係団体も多いが、アジア諸国の中で白人にあそこまで歯向かった有色人種は日本人だけ。憎まれるのも無理はない。

当時、アジア諸国の多くは白人中心の欧米列強に常に狙われる運命にあり、自主独立を死守すべく大なり小なりの戦いはあった。その苦闘の歴史は数えきれないほどあるが、日本人の戦い方は凄まじかった。それにより欧米列強の国々はアジアにおける植民地を手放し、利権も失っていった。逆にアジア・アフリカにおける民族独立運動は盛んになっていった。

日本が敗戦を迎えた時に、日本人に対して底知れぬ恐怖心を抱いた欧米列強の中には「根絶やしにせよ！」という意見も多かったようだが、そのぐらいに恨まれた。


また、もう一つの観点として、主に米国、中国らが日本に行った大罪（兵士のみならず民間人に対する暴行、強姦、大量虐殺）などを目立たなくさせるために、日本を卑劣な極悪国として印象づける必要があったことも確かである。

だが残念なのは、この東京裁判の結果を真に受け、「日本人は加害者意識を持て」、「あれは一方的侵略だ」、「日本人が元凶だ、永遠に謝罪し、補償もし続けよ」という考え方を多くの日本人が持ってしまったことだ。近年はその子孫にまで悪影響が出ている。しかも、そんな自虐的状況を逆手に取り、中国、韓国、北朝鮮では反日教育が花盛り。逆に日本は自虐教育が花盛りにとなってしまった。

敵将であるマッカーサーですら後年、「日本が戦争に飛び込んでいった動機は、大部分が安全保障（セキュリティー）の必要に迫られてのことだった」と米国上院にて証言しているではないか。真珠湾攻撃についても、計画通り日本を罠にはめた米国政府の悪巧《わるだく》みがどんどん明らかになっている。日本人はもういい加減目を覚まし、執拗に「日本いじめ」をする国々に対して、毅然とした態度を取るべきである。

当時「世界規模の戦国時代」を迎えた中で、日本も富国強兵で西洋諸国、欧米列強と肩を並べる気概を持ったことは確かだ。狭い国土で経済的に苦しむ中、国家や国民を豊かにするために領土や資源の獲得を求めていく。その何が悪いのか。やらなければやられる時代。今の感覚で過去の人々を安易に批判してはいけない。

もしも当時、すべての有色民族が非武装で無抵抗であったなら、今頃は白人社会が世界を支配していたであろう。白人は生まれながらに良い暮らしを保障され、黒人や黄色人種は奴隷として一生を終える。考えただけでも恐ろしい世界だ。

確かに戦争はやらない方が良いに決まっている。だがそれは、強者が弱者をなだめたり脅したりする時に使われる方便でもあり、絶対ではない。つまり人類の歴史の中においては、民族の誇りと存亡をかけて戦う「聖戦」もあり得るということだ。ただし、実際に戦争になれば、そこは異常事態、異常空間となる。よって兵士が常に正気や品性を保つことは極めて難しい。戦場で狂気化し、残虐性を帯びる兵士がいてもおかしくはない。

だが少なくとも我が隊においては、、国を守るために命がけで戦ったという自負こそあれ、戦時国際法に違反したり、人道に悖《もと》るような行いをした覚えなど断じてない。

戦後の歴史教育に毒され、戦争が何たるかも知らない人々から十把《じっぱ》一絡《ひとから》げで悪人呼ばわりされるということは、我々兵士にとっては死ぬことよりも辛いことである。

他国の兵隊の話を聞くと、手あたり次第に強姦した、性器を抉《えぐ》り取った、腹の胎児を取り出し投げ捨てた、生き埋めにした、人肉を食べた、といったおぞましい話がある。少なくとも当時の我々の部隊ではおよそ想像もつかない悪行だ。高潔で道徳心の高い日本の兵隊の中には、そんな狂気に満ちた野蛮人は私が知る限り皆無であった。戦場に散った戦友たち、そしてそのご家族や子孫の名誉のためにも、生き証人の私が断言する。

日本兵の残虐さを写真入りで訴えた本などもあるが、悪意のある捏造本がほとんどである。我々日本の兵隊は当時、世界一厳しい軍隊教育を受け、世界一厳しい軍律を体の中に叩き込まれている。中には不届き者もいただろうが、全体的には高潔で誇り高い兵隊が多かった。

ところが戦後、日本兵についての悪業をでっちあげ、新聞、テレビ、書籍などを通して金儲けをする連中が出現するようになった。私は、こういう人間が一番許せない。

したがって後輩の皆さん！、あなたがたはもっと胸を張るべきだ。皆さんのご先祖様は、祖国日本や愛する人々を守るために、底知れぬ恐怖の中で戦い抜いた。そのお陰で、今の豊かな生活を享受できていることは間違いない。そこをきちんと理解し、心から英霊に感謝し、誇りに思わなければ、あの世でご先祖様に合わせる顔がないではないか。

そこで私は、皆さんにお願いしたいことがある。

ぜひとも、靖国神社や護国神社を訪れて頂きたいのだ。あの場所には、まさに「公《おおやけ》」のために命を捧げた英霊が祀られている。大いに祈りを捧げてあげて頂きたい。

大切なことは、犠牲者の慰霊については思想信条など関係ないということである。

自民党も共産党も関係ない。老若男女も宗教の別も問わず、すべての日本人が出向き、静かに頭を下げて頂きたい。これは、国民の義務だと思う。

ＧＨＱのマッカーサー元帥は当初、靖国神社を焼き払ってこの世から抹殺しようとしていた。そのことをローマ法王庁バチカン公使代理のブルーノ・ビッテル神父に相談したところ反対された。彼の答えの要旨は以下の通りである。

「自然の法に基づいて考えると、いかなる国家もその国家のために死んだ人々に対し、敬意を払う権利と義務がある。それは戦勝国も敗戦国も関係なく、平等の真理でなければならない。もし靖国神社を焼き払えば、米軍の不名誉な歴史となる。それは占領政策と違い、犯罪行為である」

この進言をマッカーサーは受入れ、靖国神社、伊勢神社、明治神宮などは焼かれずに済んだという。

東京裁判においては、インドのパール判事以外は国際法の素人ばかりであった。そんな人々が寄ってたかって大量の戦犯をつくりあげ、無理矢理に処刑した。この裁判もどきの「復讐リンチ」については再検証が必要である。

特に国会議員には頑張って頂きたい。具体的には、他国の戦争犯罪なども含めて東京裁判を再検証する議員連盟を自民党から共産党に至る超党派で設立する。そして、少なくとも年に一度、すべての国会議員による靖国神社への参拝を行うのである。

国会議員が範を垂れれば、国民もそれに倣《なら》う。これは日本人の魂に関する問題である。他国から文句を言われる筋合いは微塵もない。今後もし批判されたなら、倍にして反論すべきである。「日本人を怒らせたら怖い」と思わせることは重要だ。国会議員には、日本人の名誉を回復し、誇りを取り戻させる義務がある。これも立派な国防だということを肝に銘じて頂きたい。

繰り返すが、敗戦国日本だけが永久に「極悪人」にされたままでは絶対にいけない。日本を敵視する国々から見ればとても都合の良い話だが、こんな状態では独立国日本の復活などありえない。事実、日本は今でもアメリカの属国ではないか。

沖縄問題に限らず、本土においても例えば米軍による低空飛行訓練などに脅える日本国民は多い。だがどんなに抗議してもほとんど相手にされない。「本当にここは日本なのか」と怒りたくもなるが、悲しいかな日本の空は米軍に占領されているのでどうにもならない。航空機の安心安全を確保するための航空法においても、米軍機は適用されない。しかも日米地位協定において、米国は日本国内のどこにおいても米軍基地設置の要求が可能であり、日本側もよほどの合理的な理由がなければ断ることが出来ないのである。ロシアはそのことがわかっているので北方領土を返還したがらない。当然の話だ。

従って、この理不尽な状況を打破し、真の独立国をめざすためにも先の大戦や東京裁判を再検証し、打開策を図らなければならない。

ただしその際に、心しなければならないことがある。それは、どんな検証結果が出ようとも補償や賠償を相手に求めてはいけないということである。

また、空襲、原爆、集団自決などを連想させるような被害者像を乱造し、世界中に建てまくるなどという下卑《げび》たマネをしてもいけない。それは日本の武士道に反する。

我々はご先祖様の名誉を回復し、国として当然与えられるべき権利を回復し、自分たちの心を整理するために先の大戦や東京裁判の再検証をするのである。それができてはじめて、日本は真の独立国として再び歩み始めることが出来るのだと私は思う。

第四二、増え続ける反日と「無自覚な売国奴」たち

「近年、新聞やテレビの偏向報道が目につく」と訴える人が私の周囲にも増えてきた。

以前テレビを見ていたら或るコメンテーターが「日韓首脳会談が一九九三年の一一月に行われ、細川首相が初めて植民地支配という言葉を使い、明確に謝罪した。その後、歴代の首相もそれに倣《なら》った。そのことをもう一度思い出すべきだ」といった主旨の発言をした。

またその隣に座っていた方は「日本の中で加害の歴史に触れようとすると反日である、国益に反するという声がすぐに上がってくる。だが、加害の歴史を直視出来

ない国だと世界から見られることこそ不利益をもたらす」と述べた。

私はこの時に不思議に思ったが、たとえば、日韓併合で韓国が得た膨大な利益や資産、あるいは政治的・文化的な恩恵に対してなぜ一言も触れないのか。

また、日本は加害の歴史を直視出来ないと言うが、日本が戦時中に他国から受けた民間人大虐殺などの戦争犯罪に対してはなぜ直視しないのか。

「そんなのは日本が悪いからだ」と言う人もいるだろう。だが、侵略、暴行、略奪、強姦、虐殺など悪行の限りを尽くした他国の事例は山ほどある。

たとえば「ライダイハン事件」。「ライ（混血児）ダイハン（大韓）」とは、ベトナム戦争において韓国兵らが現地のベトナム女性を強姦して生ませた子供らのことである。（私もかつてベトナム国内で戦ったことは前述したが、我々日本兵は現地のベトナム女性に憧れる分でも、そんなおぞましい事をする兵隊は誰ひとりいなかった）
韓国兵の被害にあったベトナム女性の数は三千人以上とされ、実際に凌辱された被害者はその何倍にもなるという。虚偽証言などから始まった従軍慰安婦問題などと比べケタ違いに恐ろしいこの事件を日本のマスコミはなぜ報道しない？

確かに、東京裁判史観に洗脳されている日本人は大勢いる。だからといって、反日系の人々を喜ばせるような番組ばかりを作って視聴率を稼ぐ、などという売国的行為は断固として許してはならない。

私がマスコミに望む事は、自社にとって思想的に都合の悪いことであっても、事実であれば報道し、国民に正しい情報を提供するという姿勢である。そうしないと極左や極右を生み出すことにもなりかねない。


また、真正のスパイや売国奴ではないにしても、自分の生まれた国に対して愛情の乏しい人々が増えてきたな、と私は肌で感じている。

ある時、テレビの討論番組を見ていたら「中国に侵略されたら白旗を上げればいい」だの「沖縄を欲しいというなら中国にくれてやればいい」といった主旨の発言をしたお笑い芸人を見かけた。いよいよ日本にもこういった「無自覚の売国奴」が溢《あふ》れかえってきたなと危惧する。

領土と国民と主権（統治権）の三拍子が揃って国家は成立する。この三つを命がけで守ろうとしない連中が、我々が若い頃なら逮捕され処刑されてもおかしくないような言説をなんら畏《おそ》れることなく口にし、それをテレビ側も堂々と放映する。

無自覚の売国奴というのは厄介なもので、これは本人を責めても仕方がない。自虐史観に汚染され、自由、平等、権利、人権などの教育ばかりを受け、正しい歴史、愛国心、義務や責任、家族愛、道徳などが教えられていない。これでは、無自覚の売国奴や無責任な人間が増えるのは当たり前である。

そしてもうひとつ重要なのは、ＧＨＱ（連合国軍最高司令官総司令部）が長年に亘って取り組んできた日本占領政策、いわゆるウォー・ギルト・インフォメーション・プログラム（戦争における罪悪感を日本人の心に植え付ける計画）が見事に功を奏した、という事実が挙げられる。「日本人は侵略戦争をやり、世界を不幸にした」、「日本の兵隊は極悪の殺人者だ」、「愛国心を持つことは悪だ」、といった洗脳は、戦争に負け、疲弊しきった日本人の頭の中に「吸取紙《すいとりがみ》」の様に浸み込み、次の世代に受け継がれている。

だが、戦う意欲さえ喪失した人間はまともだろうか？　考えてみて頂きたい。自分の生まれ育った国が危機に瀕している時に立ち上がるのは当たり前のことである。その心構えは、家族、仲間、職場、地域においても同じこと。老若男女問わず、社会的地位を問わず、或いは健常者、身障者問わず、大切な何かを守るために出来る限りの行動を起こし、時には戦いに挑む。それは、人としての基本だと私は思う。

近年は歴史教科書を見直そうという動きもあり、良書も出版されるようになった。歴史というものは様々な事を想定し、仮説を立て、検証するものである。また、自分たちの国の物語りを学ぶことでもある。したがって神話的な要素もあって良いと思う。その神話が実際の話と符合することもあり、それが歴史学の醍醐味でもある。そして何よりも大切な事は、神話を粗末にした民族は亡びるということである。

自虐的な内容に加え、丸暗記を強要される味気ない授業で歴史嫌いになるよりも、祖国の歴史に誇りを抱き、日本人として生まれたことに感謝できるような授業の方が遥かに有意義だと思う。

「グローバル社会の到来」「国境や国家にこだわる時代ではない」「私たちは地球

人です」などと唱える人々がいる。その発信元の中には、世界を股にかけて金儲けをたくらむ連中も多い。確かに医療や災害救助の面では必要な発想であり、貢献度は大きいが、金儲けのために祖国が壊されることだけは御免である。

日本人としての自覚や尊厳というものは、日本という領土の中で培われた歴史と文化と先人の教えに触れながら身に着くものである。世界中の民族が国境を無くして無秩序に共生したところで、最終的には醜い争いしか起きない。

もちろん私は、「外国人を日本に永住させてはいけない」と言っているわけではない。日本という国は、天皇が国民の幸せと安寧を祈られ、国民どうしが互いに切磋琢磨しながら国造りを行ってきた世界最古の国家である。そのことを十分承知したうえで日本に帰化するのであれば、たとえ出身は外国であっても、あるいは肌の色が違っても構わない。

「日本書紀」にある「民《たみ》の竈《かまど》」の話は有名である。その昔、仁徳天皇が集落から煮炊きの煙が立ち上っていないことから民衆の生活困窮をご心配され、免税し、労役も減らし、自らも質素倹約して国の復興と民の生活向上を図られたという話である。こういう伝承を嘲笑せず、「天皇は国民を犠牲にするような独裁者ではない。

祈られることが本分なんだ」ということをしっかりと理解して頂ける外国人であれば、我々は日本国民として喜んで受け入れたい。

第四三、国会議員は「国防と国益」を最優先せよ

私は今の国会議員を見ていて実に情けないと思っている。国として最も大切な「国防と国益」から目をそらしている政治家があまりにも多いからだ。

憲法や国防問題というのは、知事、市町村長、県会議員などには手の付けられない領域である。ここはやはり国会議員が力を発揮しなければならない。

確かに、労働雇用、社会保障、教育、医療、福祉、人権、環境問題などは取り組み易いテーマである。万人から喜ばれやすく、選挙においても票に繋がりやすい。しかしこれらはすべて、日本が国家として真に独立していることが大前提で取り組める話なのである。だからこそ「国防と国益」を守るために真剣に取り組んで頂

きたいのだ。

国会議員たるもの、常に油断をしていてはいけない。今の一見平和な状態が今後も続くと思ったら大間違いである。日本から攻撃を仕掛けなくても、今や日本の国内には危険人物や危険団体が跋扈し、内面から日本国を崩しに掛かっている。

また、何らかのきっかけでミサイルを撃ち込まれたり、密かに化学兵器を使われたり、海を渡って敵が攻めてくる可能性もある。あるいはサイバー攻撃をされる、隣国が破綻《はたん》して大量の難民が海岸に押し寄せてくる、暴動を起こされる、略奪される、民間人が凌辱される、殺害される、といったこともあり得る。これらは常に想定内の事態として頭の中に描き、対応策を準備しておくべきだ。

「そんなことは自衛隊や警察に任せておけばよい」、「そんなこと起きるわけがない」と、もしそのような考えを持っている国会議員がいたとしたら、すぐに議員バッジを外していただきたい。

今や日本はスパイ天国であり、隣国などへの内通者が各界各層にはびこっている。政界においても売国的な言動や行動をする怪しい議員が多い。そういう輩を一掃して頂きたい。国会議員は地方議員よりもはるかに責任が重い。だからこそ報酬も高いし、様々な特権があることを肝に銘じるべきだ。

確かに、国防や国益を守る議論の中にはシビアな話も多い。身の危険を感じる場面も増えるだろう。だが、領土を守り、国体を守り、経済力を高め、インフラを整備し、国民の生命と財産を守ることは一番重要なことである。この部分の戦略をしっかりと描き、勇気をもって実行して頂きたい。それこそが、国会議員というものだ。そして有権者も、ぜひそういった観点で国会議員を選んで頂きたい。それはすなわち、あなた自身はもちろんのこと、家族をはじめ、大切な人々を守ることに繋がるからである。

今年（令和元年）五月、若い衆議院議員が「北方四島を戦争によってロシアから取り返すのは賛成ですか？　反対ですか？」などと発言した。酔っぱらったうえに時と場所をわきまえない言動は愚かとしか言えない。私から見れば「根性なしの小僧め！」とも思うが、国防、領土、国益に対して危機感や主張があるのなら国会の場で堂々と論陣を張るべきだ。

そもそも北方四島、千島列島、樺太は日本固有の領土である。そのことを主張して何も悪いことはない。ソ連は、昭和一六年に日本の松岡外相をして五ヶ年間の日ソ中立条約（不可侵条約）を結んでいた。ところが、日本がアメリカから原爆を落とされ「万事休す」となった事実を知るやいなや、条約を一方的に破棄し、八月九日に五〇万の軍勢が満州国境を越えて奇襲攻撃を行うという暴挙に出てきた。旧満州、千島、樺太に侵攻して行った旧ソ連軍の蛮行は、ポツダム宣言や戦時国際法にも違反した明らかなる戦争犯罪である。北方四島もこの時に不法に占領されてしまった。

「樺太の戦い」、「占守島《しゅむしゅとう》の戦い」、「三船受難事件《さんせんじゅなんじけん》」、「真岡《まおか》郵便電信局事件」などを調べてもらえば解ると思うが、無抵抗の民間人も含めて数万人が旧ソ連兵に殺されている。

また、ソ連兵が日本の満州移民や日本兵の捕虜などに行った残虐行為は、筆舌に尽くせない。約千人の民間日本人が虐殺された「葛根廟《かっこんびょう》事件」、六〇万人もの日本人を連行し、過酷な寒さと労働、さらには暴力や粗末な食事などで約六万人を死に至らしめた「シベリア抑留」などは有名な話だ。私の友人も抑留され運よく生還したが、体を壊し、つらい一生を過ごした。

結局のところソ連の違法な蛮行によっておよそ六〇万人の日本人が命を落としたと言われている。スターリン率いる当時のソ連の悪辣《あくらつ》さはおよそ人間の道として許されるものではない。戦場ゆえに正気を失い、追い詰められて異常な行為に走る兵士はどこの国にもいるが、当時のロシアや中国における日本人に対する人権無視の残虐性には戦慄を覚える。

私は国家滅亡の寸前まで追い詰められた当時の日本人として心から叫びたい。国が滅びてしまったら、年金もへったくれもない。いかにして国民の生命と財産を守り、治安を守り、言論の自由を守り、自由経済を守るのか、ここが重要である。ただし自由経済といっても、極端な金持ちや極端な貧困者を生まないようにしなければならない。それには「足るを知る」ということである。当然ながらこの精神は天皇の御心からも湧き出て来るものだが、地球に過度なストレスを与えない様な、資源循環型の経済、助け合いの経済をめざすべきだと思う。そして、いかにして日本民族の象徴である「天皇」をお守りするのか。これらが、日本の国会議員として最も重要な役目ではないだろうか。

選挙に勝ちさえすれば良いといった「保身」ではなく、身を挺して国を守るという「献身」を国会議員には期待したい。

第四四、ゴルバチョフの勇気と人類愛

共産主義を叩きこまれて育ってソ連のゴルバチョフが、大統領となってペレストロイカ（建て直し）やグラスノチ（情報公開）を掲げ、民主的な国の実現を図ったことは見ていて感動を覚えた。もっとも改革は夢半ばで終わり、米国と肩を並べていたソ連という大国を崩壊させてしまったという点においては今でも多くのロシア人の恨みを買っている。

確かに彼は勇気と博愛に満ちた政治家ではあるが、共産党という組織内では失脚した。もしゴルバチョフの改革が成功し、核兵器の廃絶にも寄与することが出来たならば、地球を救った世界一の政治家としてその名を刻んだことだろう。

第二次世界大戦後、米国とソ連は冷戦状態となる。

ソ連は日本に対し、シェレペンを通じて革命を起こさせようと計画し、工作資金も準備した。東大安田講堂事件、三鷹事件、浅間山荘事件などはその一端である。だがそれらは、日本の圧倒的な警察力の前に屈した。

その頃の日本は経済復興が目覚しく、僅か三〇年の間にアメリカに次ぐ世界第二の経済大国となっていた。この姿を目の当たりにしたソ連のミハイル・ゴルバチョフは、一党独裁の共産主義の限界を知った。国民が自由な発想と自助努力の中で経済活動を行うことが真の発展であり、それこそが民主主義であることを思い知ったゴルバチョフは、なんと、ソ連国内の全ての広場に立っているレーニンの銅像を解体してしまったのである。

この勇気と決断力が世界に認められ、彼はロシア初のノーベル平和賞を受賞した。東西冷戦は三〇年間続いたが、ミハイル・ゴルバチョフはソ連最後の書記長としてそれを終結させた。

それから月日は流れ、彼は八八歳となった。しかしながら、三〇年前に自ら結んだ中距離核戦力（ＩＮＦ）全廃条約を巡り、米国とロシアが互いに条約違反と非難し合う状況を懸念している。そこで彼は「この条約が破綻されれば、国際社会が築き上げてきた核軍縮会議が全壊する恐れがある」と警告したのである。更に、トランプ米大統領、プーチン露大統領に対し、両首脳が積極果敢にこの問題に取り組み、政治主導で解決を目指すよう呼び掛けた。老いても衰えない核兵器廃絶のための信念は、高く評価されるべきである。

また、核兵器不拡散条約（ＮＰＴ）について「核兵器のない世界に向けて前進する最も重要な義務を核大国に課していることを忘れてはならない」と強調、核超大国の米ロ両国こそが核軍縮を主張すべきだとの認識を示した。

ソ連と米国は欧州配備ＩＮＦを巡り緊張が高まっていた事態の打開を目指して一九八一年に交渉を開始し、一九八七年一二月に条約調印にこぎ着けた。このことを忘れてはならない。

ゴルバチョフ氏は米ソ両国が初めて配備済み核兵器の廃棄に合意した同条約について、核軍縮の第一歩となった「冷戦終結期の最重要文書」だと意義を強調。欧州やアジアを狙う地上配備型の中・短距離の核ミサイルを全廃し、「日本を含む国々の不安」を取り除いたと指摘した。ＩＮＦ全廃条約を巡っては、米国が二〇一七年三月、ロシアによる条約違反の巡航ミサイルなどの研究開発を再開すると表明した。

一方ロシアは、地上配備型迎撃システム「イージス・アショア」のルーマニアや日本への配備を条約違反と主張。プーチン大統領は同月一四日、米国は「事実上、条約を離脱した」と非難し対決姿勢を強めている。残念なことだ。

ゴルバチョフは、核大国の米国とロシアには核軍縮に取り組む国際的義務があると強調した。背景には、自からつくり上げた軍縮の流れが逆行し、核兵器の開発競争へ回帰しつつある現状への危機感がある。東西冷戦終結という歴史的偉業を成し遂げたゴルバチョフ氏の言葉を我々はしっかりと噛みしめる必要がある。

核拡散防止条約（ＮＰＴ）は米国を含む五ヶ国に核保有を例外的に認める一方、締結国に「誠実に核軍縮交渉を行う義務」を課した。だが地球上の核兵器の九割を握る米ロは、核廃絶を願う国際世論に耳を傾けようとせず、核戦略上の優位を巡り争っている。

核保有五ヶ国は核兵器禁止条約にも反対し、核軍縮交渉は停滞している。

冷戦期、米国とソ連は軍拡競争に明け暮れた。その悪循環を断ち切り、軍縮へと流れを変えた人物がゴルバチョフ氏だった。中距離核戦力（ＩＮＦ）廃棄条約は特定の核兵器の全廃に踏み込んだ点で画期的だった。

ゴルバチョフ氏は、当時のレーガン米大統領が提唱した戦略防衛構想（ＳＤＩ）に反対しつつも首脳対話を重ねて信頼を醸成し、一九八七年、最終的にＩＮＦ全廃条約調印を達成した。それから三〇年を経る中で、米国とソ連を継承したロシアの間の信頼は大きく損なわれた。米国が世界で推進するミサイル防衛（ＭＤ）網の整備にロシアは核戦力の均衡を崩すとして反発。米国もウクライナ南部クリミアの編入を強行したロシアを警戒し、ＩＮＦ廃棄条約違反のミサイルを配備したと批判する。

ゴルバチョフ氏は米国との対立を克服した自からの経験を基に、米ロ両首脳が核軍縮交渉を主導し、軍を従わせていく重要性を説いたと言える。

現ロシア大統領プーチン氏も米国大統領トランプ氏も、あるいは中国の総書記長習近平氏も、ゴルバチョフ氏の崇高なる国際平和の意志を大いに尊重するべきである。恒久平和を願い、核兵器開発競争回帰を全力で阻止し、ドイツのベルリンの壁も断ち切った政治力はまさに世界一であり、偉大なる人物である。政治家たるもの、これぐらいの勇気と実行力がなければならない。彼の様な胆力を持った政治家が今後出てこなければ、やがては核戦争を許してしまうことになるだろう。そうなれば、人類は終わりである。

第四五、広島・長崎原爆投下と核廃絶への願い

今年も広島・長崎において原爆で犠牲になった人々の慰霊式および平和祈念式典が開催された。すでに七四回を数える。

ただ私は、どうしても解《げ》せない言葉がある。

「安らかに眠ってください　過ちは繰返しませぬから」

広島の平和記念公園の原爆死没者慰霊碑にはこう刻まれている。だがこの言葉には主語がない。いったい誰が誰に懺悔《ざんげ》する言葉なのか。

もしこの一文が、犠牲者を通じて全世界の人々が反核の平和を願うための碑文だとすれば、まさしく日本人というのは、罪を憎んで人を憎まない崇高なる民族だと

いえる。だがそれは、他国の人々にどこまで理解されているのだろうか。中には、戦勝国から完全に魂を抜かれた日本人を軽蔑する声も多数ある。言うべきことも言えなくなれば、国民にも国家にも明るい未来はない。

私が復員した時に見た光景は、見渡す限り米軍に破壊され、荒涼とした焼け野原だった。この惨状を見て「よくもこんな姿にしてくれたな！」と、私は米国に対して凄まじい憎悪を抱いた。

そして、生まれ故郷に帰ってもその怒りは治まらず、青年団では同じ思いを抱く若者どうしで悪辣《あくらつ》なアメリカ兵などをテーマにした反米劇を創作し、村の文化祭などで演じた。

だが、そういった活動の原動力となる「米国に対する怒り」というものが、ある事をきっかけに我々の心の中から急速に薄れていった。そのある事とは「朝鮮戦争」である。

米国は方針を一八〇度転換した。太平洋戦争では日本と戦い、原爆まで落とした。

だが実際は米国政府内にもコミンテルンのスパイらが潜入し、「世界を共産主義国で支配するために自由主義国どうしを争わせる」という信念のもと、謀略の限りを尽くした。そして米国政府は大統領を筆頭にその策略にまんまと嵌《は》まってしまった。もっともルーズベルトは日本民族を毛嫌いしており、ダマされたふりをしながら日本を叩いたという説が有力である。いずれにしても米国政府とすれば、コミンテルンの謀略にようやく気が付いたということなのだろう。

一九五〇年（昭和二五）六月、韓国と北朝鮮との間で朝鮮戦争が勃発した。朝鮮半島における主権を巡り、北朝鮮が三八度線を超え南下してきたのである。率いるのは金日成《キムイルソン》。後ろからソ連が見守る中での侵略行為であり、やがて中国も北朝鮮に加勢した。

一方、韓国側に味方したのは米国を中心とする連合国軍であった。つまり朝鮮戦争は自由主義と共産主義との戦いであり、この姿を見た我々も「敵はアメリカではなかった」ということをようやく認識したのである。

朝鮮戦争が激化する中で、共産主義を毛嫌いする米国は北朝鮮や中国に対し「和平合意を承諾しないのであれば核兵器を使用する」と伝え、中国との全面戦争をも辞さない覚悟を伝えた。日本に原爆が落とされた直後なので、この脅しは絶大な効果をもたらした。結局こういった経過の中で休戦が成立したわけだが、中国や北朝鮮はそれを契機に「やはり自分たちも核兵器を持たなければならない」と決意した。

戦況においては、北朝鮮軍が勝利を目前にしていた。ところがそこに、マッカーサー将軍率いる連合国が怒涛の勢いで加勢し、三八度線まで押し返した。

朝鮮戦争によって、連合国側はアメリカが約五万四千人、韓国では約一三〇万人が犠牲となり、他の連合国にも犠牲者が出た。対する北朝鮮は約五〇万人、中国は約一〇〇万人の人々が犠牲になった。合わせると実に約三〇〇万人が犠牲になった。その多くは民間人であったが、戦いの代償はあまりにも大きい。

さて本年（令和元年）も八月六日に、広島原爆死没者慰霊式・平和記念式が開催された。松井一實《かずみ》市長は平和宣言の中で、「世界中の為政者には、核拡散防止条約第六条に定められている核軍縮の誠実交渉義務を果たすとともに、核兵器のない世界への一里塚となる核兵器禁止条約の発効を求める市民社会の思いに応えて頂きたい。日本政府には唯一の戦争被爆国として、核兵器禁止条約への署名・批准を求める被爆者の思いをしっかりと受け止めて頂きたい」と訴えた。

安倍首相は挨拶の中で、「明年は核拡散防止条約（ＮＰＴ）発効五〇周年の節目を迎え、五年に一度のＮＰＴ運用検討会議が開催される。広島から始まった核軍縮に関する賢人会議の提言を十分に踏まえ、各国に積極的に働きかけていく決意だ」と述べた。

また、八月九日には、長崎原爆犠牲者慰霊平和祈念式典が開催された。田上富久《たうえとみひさ》市長は平和宣言の中で、「アメリカとロシアには、核超大国の責任として、核兵器を大幅に削減する具体的道筋を世界に示すことを求めます。日本政府に訴えます。日本は今、核兵器禁止条約に背を向けています。唯一の戦争被爆国の責任として、一刻も早く核兵器禁止条約に署名、批准してください。そのためにも朝鮮半島非核化の動きを捉え、核の傘ではなく、非核の傘となる北東アジア非核兵器地帯の検討を始めてください」と訴えた。

安倍首相は挨拶の中で、「世界的に安全保障環境は厳しさを増し、核軍縮を巡る各国の立場の隔たりが拡大している。非核三原則を堅持し、核兵器国と非核兵器国の橋渡しに努め、国際社会の取り組みを主導する決意だ。来年は核拡散防止条約（NPT）発効五〇周年を迎え、五年に一度のNPT運用検討会議が開催される。意義ある成果を生み出すため、各国に積極的に働きかけていく」と述べた。

今回、広島・長崎両市長が政府に強く求めたのは「核兵器禁止条約への署名・批准」である。だが安倍首相はその部分には触れなかった。式典後の記者会見では、「（条約は）現実の安全保障の観点を踏まえていない」と述べた。だから署名・批准は難しいということなのだろう。完全に背を向けている。

また、「橋渡し」とは言っても、その役割を十分に果たしているとは言えない。日本政府は唯一の被爆国として、核保有国のアメリカやロシアはもちろんのこと、中国というモンスターに対して、核廃絶をもっと強く主張するべきである。

本年（令和元年）八月二日、INF（中距離核戦力）全廃条約が失効した。ロシアのゴルバチョフ氏が当時のアメリカ大統領と会談を重ねて、信頼を醸成する中で一九八七年（昭和六二）に調印に漕ぎ付けた条約である。そして三〇年間に亘って平和が保たれてきた。その条約が失効したことで、雲行きが怪しくなってきた。一番の不安要素は中国である。

中国は、日本やアメリカから最先端の技術を習得し、時には盗み取り、そのお陰で二桁の経済成長を二〇年間も続け、大金持ちとなった。軍事的にも制空権、制海権を拡張、併せて東南アジアに進出し、島を埋め立て要塞を築き、飛行場も建設している。

そして更には、強力な核兵器の開発にも余念がない。これを見たロシアは大いに危機感を募らせ、三〇年間保たれたINF全廃条約はこれ以上守れないと米国に通告してきた。米国も止むなしと云うしかなかったようだが、核抑止力の条約が中国の乱暴な振舞いのために破壊されたわけである。こんな暴挙を許すわけにはいかない。

また、二〇一八年の長崎原爆犠牲者慰霊平和祈念式典で、アントニオ・グテーレス国連事務総長が挨拶を述べた。その中で彼は「核保有国は核の近代化に巨額の資金を費し、軍縮プロセスは失速し停止しそうです。多くの国が昨年、核兵器禁止条約を採択し不満の意を示しました。軍縮は喫緊の課題です。核廃絶は国連の最優先課題です。ここ長崎から全ての国に、すぐに軍縮に取り組み、目に見えるように進展させることを求めます。核保有国には特別な責任があります。長崎を核の惨禍で苦しんだ地球上最後の場所にしましょう（中略）私はあなた方と共にその目的のために取り組みます」と述べた。

国連事務総長の言葉には大きな責任がある。ぜひとも、国連の平和維持活動の中で核廃絶を絶対に実行して頂きたい。

具体的な活動として私は次のような提案をしたい。広島において一回目の「核兵器廃絶宣言会議」を開催して頂く。もちろん、核兵器保有国や核兵器に感心のある国々に強く呼びかけ集まって頂く。

次に二回目として、より中身を充実させた「核兵器根絶宣言会議」を長崎市にて開催して頂く。もちろんこれも、国連が中心となり、強力なリーダーシップを執るべきである。そして、全世界に向けて核兵器の恐ろしさと廃絶を訴え、既存の核弾頭の処理対策まで含めた実施案を打ち出し、核無き世界の構築に努めて戴くことを願ってやまない。

最近、原爆が投下されてから八年後に作成された「ひろしま」という映画が発掘されて話題になっている。原爆の真実を伝えるため、実際の被爆者も参加しているリアリティー溢れる映画だ。だが映画の中に「ドイツではなく日本に原爆が落とされたのは、日本人が有色人種だからだ」といった台詞があり、「反米色が強い」ということで配給元の松竹からカットを要求されたようだ。結局両者譲らず、自主配給となった。「幻の映画」と呼ばれる所以《ゆえん》である。

当時は米国の占領下であったためプレスコード（ＧＨＱによる報道統制）にマスコミや映画関係者などは縛られていた。だが、それが今やアメリカでも上映されるようになった。まさに隔世の感があるが、この映画が、ロシア、中国、北朝鮮などの核保有国でも上映され、多くの人々の目に触れることになれば、原爆の恐ろしさを再認識する人々も出てくるのではないか。

原爆、水爆その他の化学兵器。これらは人類が最も憎むべき「悪魔」である。

第四六、アジアの平和は習近平の双肩にあり

二〇一七年一〇月一九日、第一九回中国共産党大会が北京の人民大会堂で開幕した。

習近平党総書記長は施政方針演説の中で「中国の特色ある社会主義思想を党規約に盛り込み、歴史的指導者としての地位を内外に誇示する」とした。

また、新しい目標として「強国」の建設も宣言し、今世紀半ばまでに世界トップレベルの総合力と国際影響力を持つ、社会主義現代強国を完成させる、と訴えた。

何とも勇ましい言葉が並び、ドイツのヒトラーを彷彿とさせる。自身の思想信条や指導理念が世界で一番。つまり、中国共産党が世界を支配することへの宣言であ

る。

我々が「小康」という言葉を使う場合は、「悪い事態が治まっている」といったマイナス面を強調するケースが多いが中国は違う。習近平が唱える「小康社会」とは、「豊かな社会」という意味合いが強いようだ。しかしそれには、多くの人々が幸福を感じ、財産の自由や原論の自由も自由もなくてはならない。

だが一党独裁の中国では、法律は政治の道具に過ぎず、裁判所も共産党の言いなりになる国柄である。そんな絵空事を唱えても、インターネットの普及した現代においては、誰もが中国共産党の実態を知っている。世界中のすべての人々を幸福にするなどという話を真に受ける人などは、そうはいないだろう。

また、習近平は軍備の増強や海洋進出を前面に打ち出している。そして、米国や日本など周辺国との摩擦が深まる様な事を平気で始めている。実際、南沙諸島海域においては人工島を建設。フィリピンやベトナムの海に広がる小島を埋め立て、要塞を作り上げた。これは戦争を仕掛ける意志があることを物語っている。

中国は前述したように、日中戦争において蒋介石政権を日本軍の力を利用することにより倒した。更には、八路軍（共産軍）を百倍にも増強し、蒋介石を台湾に封じ込めた。

その後、共産党に染まらない国民を、紅衛兵《こうえいへい》を利用して密告制度を設け、親類、兄弟、友人の間でさえ監視をさせた。その結果、危険分子は次々と処刑されたのである。文化大革命と称して粛清された同民族は数千万人とも云われ、人類史上最悪の殺害事件となった。

最近中国では、より威力の増した新型核爆弾を作り、核戦争も辞さない様相である。中国は俄《にわ》かに、米国やロシアに相談なく新型核兵器の開発や配備を進めている。そのためロシアは「再び核軍拡の紐《ひも》を解く」と宣言。米国も負けじと核軍拡を叫び出した。

ＩＮＦがなし崩しになってきた原因のひとつは、習近平が、第一九回中国共産党大会で訴えた「社会主義世界制覇の野望」である。この演説に戦慄を覚えた国々も少なくはないだろう。

天安門事件において自由を叫んだ学生を戦車で容赦なく轢き殺す。こんなことは国家として、人として許されない犯罪だ。また、ノーベル平和賞を受賞した劉暁波《りゅうぎょうは》さんは逮捕され、一〇年間も監獄で苦しんだ末に獄死した。

香港の民主派が二〇一八年七月一三日夜、香港中心ビクトリア湾公園で追悼会を開き、蝋燭《ろうそく》を灯して劉氏を偲んでくれた。その香港は今、逃亡犯条例改正案の撤回などを求めて若者を中心に暴動が起こっている。事件容疑者の身柄を中国本土に移送するという改正案だが、これに対して香港の人々が恐怖を感じるのも無理はない。

また中国政府が中国・新彊《しんきょう》ウイグル族を数十万人拘束するなど、常軌を逸した迫害行為も有名な話だ。そこまでしなければ共産党一党独裁政治を貫くことが出来ないのであろう。

中国が二〇有余年、今日まで曲がりなりにも二桁の経済成長を実現できたのは、資本主義経済を謳う先進諸国の人々の涙ぐましい努力のお陰である。

かつて、縫製技術に優れた日本製ミシンが世界を席巻した。だが、もとはと言えば欧米で発明され、進化した技術である。よって感謝の心は忘れてはならない。だがそれは、中国とて同じことである。それを、新型核兵器で世界を脅すとは言語道断。恩を仇で返すどころの話ではない。

ソ連、東欧の共産主義国が崩壊した今日、マルクス・レーニン主義も死語と思いきや、中国が新たなる理論づけをして世界制覇を企んでいる。自由主義国家は徹底的に、中国の脅威に立ち向かうべきである。

では今この核兵器の問題に真っ向から取り組める政治家は誰だろう。

矛盾したような話だが、私は中国の習近平しかいないと思っている。ただしそれには国の民主化を図り、「覇権主義」から「平和主義」に大きく方針転換を行うことが大前提である。そうすれば、他の核保有国をリードして世界中の核兵器の削減や廃絶を実現することはできるだろう。現実的には不可能に近いが万一、習近平がそれを実現できたとすれば、まさに人類史上、最も尊敬される政治家になるのは間違いない。

第四七、「道徳・武士道・大和魂」は人類を幸せにする王道

嫌がらせ、いじめ、差別、虐待、詐欺、窃盗、暴力、性的暴行、殺人など、世の中には迷惑行為や犯罪行為を行う者が多い。

また、格差社会、ニート、不登校、ひきこもり、ご近所トラブル、ゴミ屋敷、育児放棄、学級崩壊、職務怠慢など人間社会の健全性を損なう事態も多い。当事者は心の病や人間性などを指摘され、人知れず苦しむことになる。

「道徳・武士道・大和魂」などと聞くとすぐに目くじらを立てる人がいるが、これすなわちお互いを幸せにする王道であることを忘れてはならない。この三つをしっかりと体得すれば、あなたをはじめ、周囲の人々の人生はずいぶんと明るくな

るであろう。
また、「道徳・武士道・大和魂」は、教育や躾《しつけ》といった面でも役に立つ。つまり、子供を異常に甘やかせることもなく、人としての生き方をしっかりと教えることができるのだ。子供や孫に殺される哀れな事件も多くなってきたが、これは「道徳・武士道・大和魂」を社会全体がおろそかにしてきたゆえの悲劇だと私は思う。

日本列島に人間が住み着いて少なくとも三万年は経っている。神話に頼らずともその証拠となる遺跡は至る所に存在している。皇位一二七代というが、決して遠い昔話ではない。一国を治める君主が現れてから今日まで、一貫してその男系の皇位継承を守ってきた民族というのは世界広しといえども日本しかない。

そして、国を永続させるために生まれてきたのが、道徳であり武士道精神であり大和魂なのである。これは決して明治から始まったものではない。悠久の時の経過の中から醸成されてきた日本人の叡智である

だが敗戦直後のポツダム宣言により、戦勝国はこれを機に日本人を骨抜きにしよ

うとした。その一例として、日本の道徳教育の廃止を各国が挙《こぞ》って称《とな》えた。

私の様な教育勅語を叩き込まれて育った人間には理解できないが、モンスターペアレントという言葉がある。自分の都合しか考えずに相手を猛烈に責め立てる親のことを指すようだが、教師もたまったものではないだろう。引きこもりになる先生が年々増えているそうだが無理もない。一方、非難されても致し方ないような教師がいることも確かだ。人間の質が落ちてくると世の中は生きづらくなる。

私はこの状況をなんとかしたいと思い、平成二五年に『日本人よ！歴史の真実を知って世界平和に大志を抱け』を出版し、安倍首相にも贈った。感謝状も頂戴したが、その後も幾度か私の訴えを申し上げる機会を得ることができた。

本年（令和元年）より、小学校および中学校に道徳科が設けられた。私も閲覧する機会を得たが、小学校の教科書（光文書院）には、「道徳の時間ではクラスの皆で考え、話し合う中で考えを広げたり探したりしていくことが大切ですと」と書いてあった。

また、吉田松陰や千利休の話も掲載されている。仏教伝来については、今から一三〇〇年前、唐の鑑真《がんじん》が日本の名僧達から依頼され、再三に渡る難破の危機を乗り越えて海を渡り、命がけで仏教を広めた話も記されていた。或いは印度のガンジーの黒人差別をなくす物語りなども載っている。

更には、昭和一五年（一九四〇）、リトアニア日本領事館の杉原千畝《すぎはらちうね》外交官が数千人ともいわれるユダヤ人にビザ（通過査証）を渡し、命を助けた物語りも記されている。「外務省の命令に忠実に従ったまで」という説も有力だが、民族の違いで人々を迫害してはならないという崇高なる精神と実践することの大切さを説いている。

だが、ユダヤ人救済についてはさらに大きな実績をあげた人物がいる。

昭和一三年（一九三八）のオトポール事件をご存じだろうか。関東軍のハルピン特務機関長だった樋口季一郎《ひぐちきいちろう》少将も実は素晴らしい活躍をしている。

ドイツで迫害を受けたユダヤ人難民。シベリア鉄道経由で上海に向かい、満州国の国境にあるオトポール駅に集まった。だが、満州国外交部は友好国であるドイツとの関係もあり、ユダヤ人の入国を拒否した。三月といっても満州は極寒であり、食料はなく、凍死か餓死の寸前まで追い込まれていた。この状況を見かねた樋口少将は外交部を説得。さらに彼は南満州鉄道の松岡洋右《ようすけ》総裁に救援列車を要請したのである。到着したのは一二輛編成の列車が一三本。結果的には二万人ともいわれるユダヤ人を救出した。

この行為は当然、ドイツ外務省から猛抗議を受けた。このため、当時の関東軍参謀長だった東条英機中将は彼を呼びつけ理由を聞いた。

樋口は「ヒットラーのお先棒《さきぼう》を担いで弱いものいじめすることを正しいと思われますか?」と熱心に説明した。すると東条はその人道的理由に大いに納得し、樋口は不問にふされることになった。そうなると東条も腹を括《くく》る。ドイツからの再三に渡る抗議も東条英機は一蹴した。

なぜ樋口はこのような行動に出たのか。それは彼がヨーロッパで駐在武官をしていた頃にさかのぼる。当時の白人社会は日本人に対する差別が酷かった。そんな時に温かく迎え入れてくれたのが年老いたユダヤ人女性だったという。その女性はユダヤ人が世界で迫害されていること、そして日本の天皇こそがユダヤ人の救世主となるに違いないと涙ながらに話したという。そのことが脳裏に焼き付いており、樋口を突き動かしたのである。

また日本では、国家なきユダヤ人に領土を与えるため、五万人のユダヤ人を満州に受け入れる「河豚《ふぐ》計画」が進んでいた。それは常に日本人が提唱していた人種平等の原則にもとづくものだ。もちろん、ユダヤ資本にも期待するところはあっただろう。

だがなぜ毒を持った「フグ」なのか。それは、経済力や政治力のあるユダヤ人の受け入れは有益だが、一歩間違えれば破滅の引き金になる、とのたとえ話から出た言葉である。

いずれにしても、「日本軍」というと「悪の権化」のように思い込んでいる人もいるが、樋口少将や今井均《ひとし》陸軍大将の様な勇敢で心優しい軍人もたくさんいた。こういった兵隊さんの良い話も道徳の時間に沢山話して頂き、戦後の悪しき洗脳を吹き飛ばして頂きたい。

兵隊さんといえば、ロシアとの心温まるエピソードも掲載されている。

一九〇四年に始まった日露戦争では約七万人のロシア兵が捕虜となり、日本全国二九ヶ所の捕虜収容所に送られた。愛媛県松山市では多いときは六千一九人もの捕虜を収容し、病棟を建て、日本赤十字社の看護士などが献身的な看護を行った。収容所からの外出も自由とし、捕虜の中には道後温泉で入浴や借屋住いが許可される人もいた。松山の人々は活発に民間交流も行い、窯元や海への遠足、自転車競技大会なども催した。戦争中とは云え、国は異なっても同じ人間として心温まる交流がなされた。この交流は二〇一一年に「誓いのコイン」というミュージカルにもなり、日本だけでなくロシアでも公演されている、といった内容である。

いずれにしても私は、これらの道徳教科書を一読し、ほっと我が胸をなでおろした。

あとは、教師がいかにこれらの内容を生徒や児童に伝えていくかである。

道徳といえば、私は今日まで「三徳《さんとく》」と「五倫《ごりん》の心」を旨として生きてきた。

私は「教育勅語」や「修身《しゅうしん》の教科書」で学んだ世代なので、次のことを自分なりにまとめ、唱えてきた。お恥ずかしながら披露したいと思う。

三徳とは、一に尊敬、二に感謝、三に笑顔で奉仕の心、の三点である。

五倫の心とは、一、親や祖父母に孝養を（孝は国の根本）
二、社会や職場に誠実を（博愛の心）
三、夫婦相和し末永く（夫婦愛）
四、兄弟姉妹《きょうだい》仲良く助け合う（兄弟姉妹《きょうだい》愛）
五、人を信じ、違《たが》わず、偽《いつわ》らず（友人愛）

皆さんもぜひ、自分なりの生きる指標を持って頂きたい。

第四八、独立国日本

永世中立の独立国家をめざすのであれば、スイスの国がお手本である。

日本にばかりいると視野が狭くなると思い、私は昭和四四年、四六歳の時に「世界一周五ヶ年計画の旅」として現地視察を始めた。私達は真先にヨーロッパの主たる国々を二五日間の日程で回ったが、主な視察先は工場と大学の研究室だった。ただし私にはもう一つの目的があり、それは各国の国防体制の調査であった。スイス視察もその一環である。

一行のメンバーは、多くは大企業の技術部長クラスであり、東北大学の真野《まの》教授の教え子が多かった。スイス連邦工科大学での勉強会、午後の工業物理研究所ではデスカッションが行われた。日本側からの出席者は団長の真野教授をはじめ、通訳も入れて一二人。スイス側も同じく一二人が出席したが、全員が博士（ドクター）だった。

この研究所は数百億円の巨費を投じて建設された。まだ一部建設中ということもあり外国人を招いて視察させるのは異例とのことだったが、私たちにとっては幸運だった。

所長のバーマン教授の話によると、この研究所は国家的な研究だけでなく、民間から委託される研究にも快く応じ、産業の発展に寄与していると云う。

たとえば、世界的に有名なスイス時計の技術を継承させるため、電子時計やＩＣ時計の研究に力を入れているとのこと。その中には、固体物理、電子物理、理論物理に関する研究も含まれているそうだが、こういった基礎研究をきちんと行える国はやはり強い。

「学ぶ」は「まねぶ」が語源なので「真似る」ことは恥でも卑怯でもない。だが、技術やデータをまるまる盗むやり方は頂けない。そういうことに罪悪感のない国は、基礎研究がおろそかなのでやがては行き詰まる。

さて、驚くことにこの研究所内では地下に核シェルターが配備されていた。原子爆弾が落ちても三週間は生活ができるとのことである。スイスにおける公共建築物などはこうした設備を整えなければ建築許可が下りないとのことだが、何年も前からこうした自衛対策を行っていたのである。

スイスは永世中立国として有名だが、ご存知の通り、国防には非常に力を入れている。私が訪問した際に受けた説明では、男子は十八歳になると三ヶ月の軍事教練を受け、帰宅の際は武器を受領して持ち帰り、いざ外敵の侵入があれば、四八時間以内に六八ヵ所に分けられた場所に集結しなければならないとのこと。その数はおよそ六〇万人であり、その人々が兵士となって防衛体制を整え、橋という橋、台地という台地をたちまち軍用基地にしてしまう。

現在のスイスは約八〇万人が軍人であり、人口の約一〇%を占める。まさに「国民皆兵」を実践しているのであるが、日本の自衛官は約二五万人で人口のわずか〇・二%程度。

日本では自衛隊を毛嫌いし、志願する若者を引き留める大人も多い。だが、そういった行為が日本をますます危ない国にしていることに早く気が付いて頂きたい。

スイス国民は決して好戦的ではない。他国に攻め入ろうとも考えてはいない。ただし、スイスの領土や国民を狙って侵略して来る敵に対しては断固立ち向かう。これが彼らの基本的なスタンスである。我々日本人も、同じ気概を持つべきではないだろうか。

第二次世界大戦中、西欧の主たる国々はことごとく戦火に巻き込まれた。だがスイスだけは砲撃も受けず、一人の犠牲者も出さなかったという。日本には「備えあれば憂いなし」という諺があるが、この視察の時ほどその教えを噛みしめた事はない。日本はやはり、スイスの国防体制を見習うべきである。

よく、「平和憲法が国を守る」と訴える人がいる。気持ちはわかるが、平和憲法や非武装中立を訴えても、何かのきっかけでいざ有事となれば、紙切れ同様の空念《からねん》仏《ぶつ》になってしまう。国際法すら守れない国、日本人を拉致し、殺害しておきながらミサイルを向けて来る国、領土を不法占拠して平然としている国。こういった恐ろしい国々に日本は囲まれているということを決して忘れてはならない。

また、スパイや売国奴ならともかく、「戦争をしない国、させない国にしよう!」などと本気で叫んでいる心優しき日本人にもひとこと申し上げたい。なにも自分から進んで手枷《てかせ》、足枷《あしかせ》、猿轡《さるぐつわ》をする必要は無かろう。敵にしてみたらこんなにラクな生贄《いけにえ》はいない。ナメられるだけだ。

また、国歌を考えた時、血に飢えた戦いをテーマにした国歌が多い中、君が代の恒久平和を願う格調高い歌詞と調べは世界に類を見ない。

式典などで君が代をかたくなに歌わない人々もいるが、これは日本人として恥ずべき姿である。「日の丸」や「君が代」にはなんの罪もない。むしろ平和の象徴として世界に誇るべき国旗であり国歌だと思う。

忌まわしい過去を持つ国旗や国歌だと思うのなら、その悪いイメージを払拭するように努力するのが真の日本人ではないのか。

私は日の丸を背負って戦い、多くの仲間を失った。だからこそ益々以《も》って「日の丸」や「君が代」が愛おしい。

二〇一五年、スイスに本部のある世論調査機関が六四ヶ国の人々にアンケートを取った。「自国のために戦う意思があるか?」という問いについて、トップは中国で七一％の国民が「ある」と答えた。二位がロシアで五九％、三位が米国で四四%、四位は韓国で四二%、五位はフランスで二九%、六位はイギリスで二七%、七位はドイツで一八%、日本はビリで一〇%であった。
惨憺たる結果である。ここまで骨抜きにされてしまったのかと泣きたくなる。

恐ろしいのは、この結果を見てお隣の国々が日本をどう料理しようか策略を巡らしていることだ。私には、腹を空かせたライオンの前に置いてある肉の塊《かたまり》が、今の日本の姿と重なって見える。

「苦手な相手でも誠実に交渉すれば解ってもらえる」と信じているお人好しの日本。「交渉は相手を油断させる手段であり、場合によっては一方的破棄もあり得る」と考える隣国の国々。つまり感覚が全く違うのだ。

政治家にとって大事なのは、真の愛国者として日本はどうあるべきか、どうやって自国民の生命と財産と国益を守るか。まずはその点に集中して交渉することである。

論語に「和して同ぜず」という言葉がある。和気あいあいの中にあっても道理と信念は持ち続けるという意味だが、これは相手から一目置かれるようになる知恵でもある。従って、親米、親中、親露など好みは様々あるだろうが、やたら媚《こ》び諂《へつら》い、むやみに他国と同調するような政治家は軽蔑される。それだけではない。日本にとっては亡国を招くような危険な政治家となる。国民は、そこをよく見極めなければならない。

いずれにしても、日本の将来は若い皆さんの考え方ひとつで変わる。「新しい酒は新しい革袋に盛れ」という日本のことわざがある。新しい国づくりをするには、新しい人々に頑張って頂くしかない。老兵は去るのみである。

最期に皆さんに願うこと。
それは、天皇陛下を象徴とする日本と云う国を心から愛しみ、盛り上げて頂きたいということである。
そして皆さんの力で、世界から愛され、世界から尊敬され、世界から畏《おそ》れられる国にして頂きたい。

そのことを心からお願い申し上げ、静かに筆を置きたいと思う。

あとがき

事の重大さを理解せず、何度言っても減らず口を叩くような子供は、ゲンコツのひとつぐらいお見舞いするのが人情というものだ。

親や教師にはそのぐらいの権限と責任があって然るべきである。

すべての体罰が禁止されれば、大人を見下《みくだ》し、悪さをする悪童らは確実に増える。その人間たちがやがて犯罪を犯すようになった時、「失敗した、あの時、お灸をすえておけば良かった」と後悔しても、時すでに遅し。

我々が子供の頃は、親や教師は偉大であり、素直に従うべき存在だった。ところが今はどうだろう。子供に対して腫物《はれもの》でも触るようにビクビクしている大人があまりにも多すぎる。

私は八五歳を過ぎた頃も、人の迷惑を顧みずに悪ふざけをする子供たちを見かけると、他人であろうがなかろうが口頭で注意をした。中には我が子かわいさに食ってかかるような親もいたが、そういう愚かな親には大きな声を張り上げたこともある。戦場の恐ろしさに較べたら、その程度の小競り合いなどちっとも怖いとは思わない。

子供に遠慮しているようなザマで「良い社会」など出来るわけがない。勇気を持って子供を叱れる大人が少なくなれば、その子供たちは善悪の区別のつかないまま大人になってしまう。その悪循環が国を滅ぼすことを、我々は肝に銘じておかなければならない。


令和元年六月、児童虐待防止法と児童福祉法の改正案が衆議院本会議において全会一致で可決された。家庭内での体罰さえも法律で取り締まるというのである。バカらしい。許し難い愚政だ。

問題なのは、「良い悪い」の判断や「手加減」ができない親や教師が増えているために、虐待や理解し難い体罰が後を絶たないということである。そういう未熟な大人を再教育することの方がはるかに重要だと私は思う。

教師から「愛のムチ」を取り上げて以来、児童や生徒の質は良くなったか？　私にはそうは思えない。

人間というものは、叩かれ、痛みを感じることによって罪の大きさを実感する場合が多い。諭《さと》しただけで間違いを犯さない賢者もいないことはないが、そのような神童はごく少数だ。第一、諭しただけで正しい道に導くなどということは、至難の業である。

繰り返し言う。筋の通った適度な体罰は「悪」ではなく「人情」だ。その証拠に、親や教師から叩かれ、覚醒し、まともな大人になれたと感謝している人々は沢山いるではないか。日本の治安の良さというのも、結局はそういう人々によって今日まで保たれてきたことを忘れてはならない。

だが残念ながら、日本の治安は年々悪くなっている。

窃盗、強盗、暴力、強姦、殺人などは日常茶飯事。女性や子供が一人で夜道を歩くことも出来なくなり、誰もが夜もおちおち寝ていられなくなってきた。

また、中学生や高校生になった孫に、恩返しをされるどころか逆に暴力を振るわれたり、殺されたりする事件も頻繁に起きるようになってきた。尊属殺人ほど悲しくやるせない事件はない。

英才教育や人権教育も良いが、まずは幼少の頃から人としての生きる基本を徹底的に教え込まなければならない。さもなければ、その人間はどこかで致命的な失敗をしたり、出世の頭打ちを若いうちに味わうと私は危惧する。

私のように大正、昭和、平成、令和と世の中を見てきた人間には、日本の教育がいかに乱れてしまったかが手に取るようにわかる。本書ではその原因のひとつが、日本が戦争に負け、ＧＨＱの占領政策によって道徳、武士道、大和魂（大和ごころ）を壊された点にあることを指摘してきた。日本は敗戦により、屈辱のポツダム宣言を受入れ、集団リンチのごとき東京裁判で一方的に悪人にされた。その後もＧＨＱによる洗脳教育や３Ｓ政策（スクリーン＝映画、スポーツ、ＳＥＸ）によって日本人が腑抜けにされてしまった。

さらには、古くからの家族制度も否定され、自分の子供や孫を打たれ強い人間、自立心の強い人間として育てることが出来なくなってしまった。

現在の日本において「ひきこもり」や「ニート」は、合わせて２００万人を超えるとも言われている。その原因を「先進国病である」と分析する識者もいるし、私も否定はしない。だが、日本人の場合はＧＨＱによる占領政策の犠牲者もかなり多いと私は確信している。

もし、ひきこもりやニートの皆さんがこの本をお読みであれば、私はあえて申しあげたい。皆さんは何も悪くない。悪いのはいまだに日本を裏で操ったり、日本人の精神に悪影響を与えてきた連中である。だからこそ、自分を責めることなく一日も早く立ち直ってもらいたい。皆さんは大事な日本の宝なのだから、もっと自分の人生を大切にするべきである。そして、戦争で若い命を散らしたご先祖様たちの分まで、力強く生き抜いて頂きたい。

日本人は、男系天皇を中心に何千年ものあいだ国を死守してきた。そういった神話と実話を鮮やかに包含する誇り高い民族であるということを皆さんに自覚して頂ければ、これ以上の喜びはない。

そして願わくば、ＧＨＱ時代から続いている洗脳から一刻も早く目覚めて頂きたい。日本を独立国家として蘇生させるには、皆さんに期待するしかない。そして、我々の様な元日本兵が生きているうちに具体的な行動を起こして頂ければありがたい。それこそが、靖国で待っている戦友たちに対して最高の冥途の土産となる。

皆さんが立ち上がれば、日本の未来は明るくなる。傍観したままであれば、現存する世界最古の国家は隣国や米国らに呑み込まれ、惨めな植民地となるであろう。日本はまさに正念場に来ていることを忘れてはならない。

結びに、本書の出版にあたりご尽力された方々に心から感謝の意を表したい。

ありがとう。

著者プロフィール

依田武勝《よだたけかつ》

大正12年、長野県生まれ。昭和15年、帝国総合学院修了。松本五〇聯隊入隊。フランス領東インドシナに派遣。現地で軍隊教育を受けた後、明号作戦に参加。南支の国境線で九死に一生を得る。昭和21年、復員。

（社）日本ペンクラブ（N）会員　全作家協会員、佐久史学会会員

主な著書
「私の見た世界観」「人間の生き甲斐」「平和の鐘」「相木市兵衛依田昌朝と武田信玄」「列島に火がついた早く消せ」「日本人よ歴史の真実を知って、世界平和に大志を抱け」「知られざる武田信玄と山中鹿之助の生い立ち」「日本史三千年」「山中鹿之助幸盛」「山中鹿之助」「国を憂いて立つ　独立国日本」　他

独立国日本《どくりつこくにっぽん》

著者　依田武勝《よだたけかつ》

発行日　2020年4月7日　初版　第1刷発行

発行者　田辺修三
発行所　東洋出版株式会社
〒112-0014　東京都文京区関口1-23-6
電話　03-5261-1004（代）
振替　00110-2-175030
http://www.toyo-shuppan.com/

印刷・製本　日本ハイコム株式会社

ISBN 978-4-8096-8968-0
定価はカバーに表示してあります